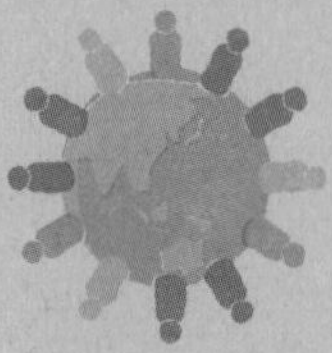

ポスト・コロナ

資本主義から共存主義へという未来

廣田尚久

河出書房新社

はじめに――解消されない不安

二〇二〇年四月一七日、安倍晋三首相は、首相官邸で記者会見し、改正新型インフルエンザ等対策特別措置法に基づく緊急事態宣言の対象を全国に拡張したことを踏まえて、全国民に一人当たり一〇万円を一律支給することを表明した。

このニュースを聞いて、新型コロナウイルス禍によって職を失い住むところも失った人たちは、死地を脱出したと思い手放しで喜んだだろうか。

もし新型コロナウイルス禍が長く続くとしたら、その先はどうなるのだろうかと考え、不安が払拭されたわけではないとすぐに気づくのではないだろうか。

また、職を失わず、住むところも安定している人々でも、経済事情が逼迫して職を失うのではないだろうかと不安を抱く人も少なくないだろう。所得の減少は避けられないという不安に襲われる人はさらに多いだろう。そういう人々にとっては、一人当たり一〇万円という支給額で、胸をなでおろすわけにはゆかないはずである。

では、所得も住居も安定している年金生活者はどうだろうか。そういう人々も、国の財政が悪化し、年金が削られるのではないかという不安を抱くだろう。また、多額の財政出動によってインフレになり、実質的に年金が目減りする恐れがあると思うかもしれない。

高額所得者や大金持ならば何の不安もないかもしれない。しかし、そういう人々の割合はごく限られているのではないだろうか。仮にかなりの人数になるとしても、株価の下落や金融資産の落ち込みによって、不安に襲われることは避けられないと思われる。

人々の不安を数え上げればキリがない。この現象をひと言であらわすならば、国民総不安、いや国民だけではない。人類総不安というところではないだろうか。

ただでさえ、新型コロナウイルスによって命の危険に襲われるという不安がある。しかし、新型コロナウイルスによって脅かされているのは、それだけでなく、人々の生活そのものである。すなわち、これから生きてゆけるのだろうかという不安に人々はさいなまれているのである。

それだけではない。新型コロナウイルス禍によって経済が動かなくなる現実にはすでに直面している。このまま新型コロナウイルス禍が続けば経済が深刻なダメージを受ける、あるいはさらに進んで経済システムそのものがひどく破壊されるという不安もある。

その不安を払拭しようとして、あせって外出自粛の措置を解除し、人々の活動や経済をもとに戻そうとすれば、たちまち新型コロナウイルスの餌食になるに違いない。したがって、外出自粛や人との接触を控えることは、新型コロナウイルス禍がなくなるまで致し方ない。

しかし、冷静に考えてみれば、新型コロナウイルスの感染経路は、人から人への飛沫感染であって空気感染ではなく、他人に接触さえしなければ感染を免れることができる。また、感染した人の致死率は二パーセントであるから、新型コロナウイルスと闘う免疫力があり、適切な治療を受ければ、多くの患者は何とか死を免れることは可能だろう。すなわち、生命の危険の方は、ある程度の方策は見えている。

これに対して、生活や経済の不安の方はどうだろうか。

これは、新型コロナウイルス禍がいつまで続くかによるが、そのことを知っている人はどこにもいない。新型コロナウイルス禍が近いうちになくなれば、不安はたちまち雲散霧消し、杞憂に過ぎなかったということになるだろう。

しかし、ことはそんなにうまく運ぶだろうか。

そんなにうまく運ぶだろうかと考えること自体が不安の材料になる。だとすれば、人々の生活や経済の不安を取り除く道筋をつけるのが最重要の課題になるのではないだろうか。

では、はたして、人々の生活や経済の不安を取り除く道筋があるのだろうか。仮にしっかりとした道筋をつけることはできなくても、道筋をつける方策を考察することならばできるのではないだろうか。そして、その考察は、新型コロナウイルス禍後＝ポスト・コロナの人類と世界の在り方に何らかの示唆を与えることができるのではないだろうか。

そう考え、そこに焦点を当てて、私はとりあえずパソコンのキーを叩きはじめた。

これから先に書くのはほとんど将来のことであるから、断定的なことは言えない。証拠を出せと言われても出すことはできない。ということは、確率、というよりも可能性、そして選択肢という二つの道具を使って、人々の生活上の不安や経済に対する懸念を取り除く道筋を探索することになる。

すなわち、道筋は複数あり、その複数の道筋のどれを選ぶかということが、人々の、やや大袈裟になるが人類の課題になる。そして、複数の選択肢のうちから選択した道筋によってこれからの世界は展開してゆくことになるだろう。

私は、その選択を誤ることがないようにと願っているが、そのためにはどうしたらよいだろうか。それはまず、新型コロナウイルスに襲われ、急ごしらえで採用した一〇万円一律支給という政策のあとにやってくるさまざまな可能性を冷静に見極めることだと思う。

人類が選択する道筋によってこれからの世界は展開してゆくと言うと、いかにも大袈裟な表現になるが、人類は複数の選択肢から選択した道を歩んでここまできたのである。新型コロナウイルス禍という危機の中にあって、可能性を見極めて望ましい選択を模索する作業をしないという選択はない、と私は思っている。

そして、望ましい選択をする過程で、「共存主義へという未来」が視野に入ってくる。

私は、地球上で七六億人の人々が生活しさまざまな仕組みをつくって共存している事実に着目して、経済の仕組みや社会の仕組みを「共存」という価値観から構築することを「共存主義」と言っているが、この道は、資本主義のものの見方、考え方を根本的に規定する認識の枠組みを革命的・劇的に変化させるパラダイムシフトを展望している。

この本は、ポスト・コロナのパラダイムシフトに関する大まかな「試論」である。

なお、本のタイトルにおいては「ポスト・コロナ」としたが、これは、「新型コロナウイルス禍後」という意である。この「ポスト・コロナ」という言葉には、新しい時代の夜明けというニュアンスが含まれているが、本文では、このニュアンスをあえて外して、「新型コロナウイルス禍後」という言葉で通すことにする。では――

目次

ポスト・コロナ　資本主義から共存主義へという未来

第一章　一〇万円一律支給に続く事態

1　一〇万円一律支給後は？

全国民に一人当たり一〇万円を一律支給された後のことであるが、その一〇万円を使い切ってしまう前に、新型コロナウイルス禍が終息しているか、それともまだ続いているかということがまず問題になる。もとより、その人の経済状況によって、使い切るまでの時間に違いがあるだろうし、使い切っても、経済的な不安がない人も多いだろう。そこで、新型コロナウイルス禍が終息しているか否かという問題を考察するときには、新型コロナウイルス禍によって職を失い住むところも失った人たちを基準にすることにしたい。その人たちが、一〇万円を使い切って、支給される前の状態と同じ生命の危機に脅かされ不安にさいなまれるならば、その他の人々も一〇万円を支給される前と同じレベルの不安に脅かされる状態に戻ると思われるからである。

簡単に言うならば、一〇万円が支給された後はどうなるのだろうか、という問題である。その見通しがなければ、人々の不安は解消されない。

ここで、可能性としては、二つの道に分かれる。

一つは、一〇万円を使い切ってしまう前に新型コロナウイルス禍が終息する可能性である。

もう一つは、一〇万円を使い切ってしまってもまだ新型コロナウイルス禍が終息していない可能性である。中間に、終息はしていないが、終息する見込みが見えてくる可能性もあるだろうが、終息していなければまた第二波、第三波がやってくるかもしれないので、中間のことは終息しているか、終息していないかのどちらかに割り当てることができる。だとすれば、一〇万円を使い切る前に新型コロナウイルス禍が終息しているか、それとも終息していないか、そのどちらかである。

そのどちらかを確率で予測できる人はいるだろうか。私にはできない。仮に確率で予測できるとしても、確率はあくまでも確率で、そのどちらになるかが決まらない以上、その先の検討はできない。しかし、可能性ならば、両方の可能性を検討さえすれば、道筋は見えてくる。

それではまず、一〇万円を使い切る前に新型コロナウイルス禍が終息している場合のことを考えてみよう。

その場合は、最初の一〇万円で間に合ったことになるから、不安は払拭される。その後のことに対する不安は杞憂であったことになるだろう。もっとも、この間にストレスを抱えたり、その他のもろもろの苦労があったりするから、万事が解決するわけではないが、まずはめでたいということになるだろう。

したがって、この場合には、ここから先のことを書く必要はない。

では、ここで擱筆《かくひつ》しようかという気持になるが、一方では、一〇万円を使い切っても新型コロナウイルス禍が終息しないという可能性がある以上、擱筆するのもどうかと思う。

つまり、新型コロナウイルス禍が終息する可能性があるにもかかわらず書き続けるためには、それなりの理由がなければ意欲が湧かない。

その理由を絞り出すとすれば、次のことがあげられる。

第一に、この次にやってくる感染症に備えるための参考になるだろう。

第二に、新型コロナウイルス禍がなくてもすでに危機はあったからである。時代は新型コロナウイルスに侵されると同様の危機に侵されつつあったのだと私は思っている。

したがって第三に、新型コロナウイルス禍はすでに存在している危機を顕在化しただけであって、新型コロナウイルス禍を考察することによって、その危機に対する備えができる。

それならば、先に進もう。

2　投げ出してしまう可能性

一〇万円を使い切ってもまだ新型コロナウイルス禍が終息していない場合の政府の選択

肢は三つある。これから述べる選択肢は、政府の財政出動に関するものであって、それ以外の選択肢もあるだろうが、ここでは財政出動に関する選択肢に的を絞ることにしたい。

まず一つの選択肢は、これ以上の財政出動はしないと投げ出すことである。

まさかと思われるかもしれないが、この選択肢を選ぶ可能性は、かなり高いのではないかと思われる。

その場合、口では救済措置をとると言いながら実際にはしないということも含まれる。また、投げ出すことはできないと思っても、それができなくて、投げ出さざるを得ないということもあるだろう。

そこまで考えると、投げ出すという可能性は決して低くない。

その根拠は、現政権の基本的なスタンスが新自由主義だからである。さすがに、新型コロナウイルス禍を前にして、自己責任論を持ち出すことはできないだろうが、最後は自己責任でやってくれと言い出さない保証はない。

また、この国の底辺に通奏低音のように流れている棄民政策にも油断してはならない。断っておくが、新型コロナウイルス禍は、自己責任ではない。また、棄民政策をとられたら、ひとたまりもない。

私は、あくまでも可能性を言っているのであって、人々の不安をかき立てるために言っているのではない。ただ、一〇万円を一律支給するという政策に理論的なバックボーンがなく、それが故に、この政策に力強さがないので、この政策が打ち切られる不安が残るのである。

3　国債を発行して一律支給を続ける可能性

次は、財政出動をして一律現金支給を繰り返すという選択肢である。

財政出動をするのならば、財源を税収に求めることが常道であろうが、消費税増率をしたばかりなので、増税の可能性は少ない。また、税収の増加は期待できないので、この選択肢はないとみるべきだろう。

したがって、財源をめぐっては、次の二つの選択肢が考えられる。

その一つは、その都度国債を増発するという選択肢である。もとより、財源のすべてを国債に頼るというものではなくても、そのあらかたを国債に頼る場合がこれに該当する。

ところで、この度の全国民に一人当たり一〇万円を一律支給するには、補正予算案によれば、一二兆八八〇三億円が必要だということになっている。そして、その財源としては、全額が国債の追加発行である（二〇二〇年四月二一日付毎日新聞）。

この国債によって給付金の財源とするという政策がいつまでも続くものだろうか。

二〇一九年三月末の国の借金である国債等政府債務残高は一一〇三兆三五四三億であるが、これを人口約一億二六〇〇万人で割ると、一人当たり約八七五万円になる。また、二〇一九年の実質国民総生産は約五三六兆一〇〇〇億円であるから、国債等政府債務残高は、国民総生産の約二倍に達している。ここまでくると、国債の発行は、もはや限界に達していると言ってよいだろう。

また、国債の発行残高が多くなると、財政が硬直化して、資源配分や景気対策のための弾力的な財政運営が困難になる。その意味からも国債の発行は限界に達していると言えるだろう。

令和元年一二月二〇日に閣議決定した令和二年度一般会計歳出歳入概算によると、歳入の中の公債金は三二兆五五六二億円で、歳出の中の国債費は二三兆三五一五億円である。国債費とは国債の償還と利息にあてる費用とそのコストのことであるが、歳出の国債費が歳入の公債金にかなり近づいていることが分かる。そうすると、やがて国債費が公債金を上回るときがくるだろう。家計にたとえれば、借金を元本の支払いと利息にあててもまだ足りないという状態である。今回の一〇万円一律支給などのために組んだ補正予算によると、国債の発行額は二五兆六九一四億円であるので、歳入の公債金と歳出の国債費の差は一時的には開くが、国債の増発は、やがて財政を絞めつけてくるだろう。

こんなことがいつまで続くものなのだろうか。

全国民に一人当たり一〇万円を一律支給するという政策を選択して、何度か繰り返すことがあるかもしれないが、もし新型コロナウイルス禍が長引けば、中途半端なところで打ち切りになって、投げ出す方向に向かうのではないだろうか。

すなわち、国債を増発し続けるという選択は、限りなく投げ出すという選択に近づくことになると思われる。

4 通貨発行により一律支給を継続する可能性

もう一つの選択肢は、国が通貨を発行して、これを財源に当て、全国民に一人当たり一〇万円を一律支給する政策を継続するという方法である。

これは、自国通貨を発行する権限を有する政府は、市場の供給能力を上限に、通貨を発行して需要を拡大することができるという現代貨幣理論（Modern Monetary Theory 略称ＭＭＴ）を実践することを意味する。

しかし、安易にＭＭＴを採用すれば、インフレに歯止めがかからなくなるという批判があり、この批判には十分に説得力がある。

新型コロナウイルス禍の渦中にあるときには、食料その他の生活必需品の供給が確保できるかという懸念がつきまとう。食料自給率が三八パーセントに過ぎない日本では、国際関係が悪化すれば食料の供給不足に陥るのではないかという心配から十分に解放されているわけではない。

したがって、国が通貨を発行して、全国民に現金を一律支給する政策を選択するには、相当の覚悟が必要である。

以上に概観した通り、全国民に一人当たり一〇万円を一律支給された後の事態に対応する選択肢としては、投げ出してしまうものが一つと財政出動を続けるものが二つの、合わせて三つの選択肢がある。この他に、例えば二回目は困窮世帯だけに限定して現金支給するなどという選択肢もあるかもしれない。

しかし、財政出動という観点に立てば、この三つということになるのではないだろうか。そして、国債発行による政策が中途半端になれば、結局のところ、継続するという政策を投げ出すか、通貨発行に踏み切るか二つに一つの選択になるのではないかと思われる。

はっきり分かるのは、新型コロナウイルス禍が続けば、一〇万円を一律支給された後には、いっそう深刻な事態に陥るということである。自分が安全圏にいないと感じている人は、今からありとあらゆる手段で安全圏に入る工夫をする必要がある。

そして、そう感じていても、何の手がかりも持っていない人がいることを忘れてはならない。国と社会がそういう人々に、安全圏に入るようどれだけのことができるかがこれからの課題である。

ここまで、個々人に対する援助を中心に述べてきたが、企業に対して補助金や資金援助の措置も動きはじめている。個々人に限らず企業についても、個々人と同様の問題が起こるが、そのことも念頭に置いておきたい。
どちらにしても、時代が変わる予感がする。

第二章　ペスト禍後の人類と世界——中世から近世へ

1　中世ヨーロッパの黒死病

この度の新型コロナウイルス禍については、ペストとの類似性がさかんに論じられている。たしかに新型コロナウイルス禍後の人類と世界を予測し、対応を考察するのならば、ペスト流行の歴史に学ぶ必要がある。

ペストは、ペスト菌の感染によって起きる感染症であるが、人類史上には古代ギリシャ以来大流行した時期は何回かあった。その中でここに取り上げるのは、一三四八年にヨーロッパを襲った黒死病と呼ばれるペストの大流行である。

黒死病に罹患すると、皮膚のあちこちに出血斑ができて全身が黒いあざだらけになり、地域によってはわずか数日のうちに村人が全滅するほどの恐ろしさだった。

そのころ、すなわち中世ヨーロッパという時代をあらわす制度は、封建制度と荘園制度だった。封建制度は荘園の領主たちの主従関係であり、荘園制度は領主が農奴という身分の農民を支配して生産させる仕組みである。しかし、一三四八年という中世末期にさしかかる時期になると、荘園は、領主直営の古典荘園から、農民の賦役を廃止して生産物や貨幣で地代を納めさせる純粋荘園に変化し、それによって農民の自由が拡大されるようになっていた(1)。

そういう時期に、ペストが襲ったのである。

その黒死病によって、ヨーロッパの全人口の三〇パーセントから六〇パーセントが死亡したといわれている。

2　荘園制度と封建制度の崩壊

それでは、このペスト禍の後で、どんなことが起こったのだろうか。

ヨーロッパにおいては、地域や国によってプロセスに違いがあるが、大きな流れとしては、時間をかけながら中世から近世へと時代が変遷してゆくのである。

ペストの大流行によって多くの人々が死亡し、大半の人口を失ったとしても、そこには生き残った人たちがいる。生き残った人々は、死亡した人々が残した土地や財産を譲渡されることになった。また、荘園領主から地代を安くするなどの譲歩を勝ちとって農奴身分からの解放を得ることができた。

しかし、荘園の荒廃や農奴の条件改善によって苦しくなった領主の中には、逆に農奴に対する地代の増額や身分の拘束を強める反動的な領主もいた。これに対して、地位を高めつつあった農奴は、農奴身分からの解放を求めて激しい農民一揆を起こして抵抗した。その代表的なものが、一三五八年のフランスのジャックリーの乱や、一三八一年のイングランドのワット・タイラーの乱である。これらの一揆は最後には鎮圧されたが、領主らは農奴の力におびえて、安い費用で農奴の身分解放を認めたりしたので、イングランド、フランスなどの先進地域では農奴解放が急速に進んだ。こうして、ペストの大流行を契機として、中世の基盤を構成していた荘園制度が崩壊してゆくのである。[2]

では、封建制度の方はどうであろうか。

封建制度は、王、諸侯、騎士らが比較的平等な立場で双務的な契約を結んで主従関係をつくっていた制度であるが、大部分の騎士は、ペストの大流行後経営していた荘園制度が崩れたために収入を激減させ、そのうえ中世末期には火砲の使用の広まりによって役割を失って没落した。一方、王は、発展してきた商業を保護し、大商人らと結んで税収入を増やして勢力を拡大させていた。そして、王は、弱体化した騎士らの土地を奪い取って、諸侯や騎士を支配下に置き、国家を統一していった。[3] こうして封建制度は崩壊し、国民国家を形成する道筋がついてきたのである。

荘園制度や封建制度の崩壊がペストによってもたらされたというよりも、ペストの大流行の前から荘園制度や封建制度は崩壊しつつあったのだが、ペストの大流行は、次の時代への予表を的確にとらえ、[4] 前の時代に引導を渡したのである。

3　大航海時代の到来

その後の歴史は、どのように展開されてゆくのだろうか。世界史年表をめくりながら、時代と事件を追っておこう。[5]

近世が明けると大航海時代がやってきた。

一四八八年には、ポルトガルのバルトロメウ・ディアスがアフリカ南端に到達した。それから一〇年後の一四九八年、ヴァスコ・ダ・ガマがインドのカリカットに到着した。こうしてポルトガルは、インド航路の開拓に成功した。

新大陸への航路の開拓は、スペインが中心になった。コロンブスは、スペインのイサベル女王の資金援助を得て、西回りの回路を通って航海し、一四九二年に西インド諸島に到着した。

マゼランはポルトガル人であったが、スペイン国王カルロス一世の援助で西回りでモルッカ諸島をめざして航海に出発し、途中マゼラン海峡を発見したり、太平洋を横断したりしたが、フィリッピンで現地人に殺された。しかしその後、部下がインド洋を横断してスペインに帰着し、世界周航をはじめて成し遂げた。

その後、スペイン人は、マヤ文明やアステカ王国を滅ぼしたりして、ヨーロッパ諸国は競って植民地経営に乗り出すが、ここまでくると、ペストの大流行から一〇〇年以上の時を経てしまった。しかし、国民国家の形成との関係で、歴史の大きな流れは頭に入れておく必要があるだろう。

大航海時代から植民地政策の時代に起こったさまざまな事件と国民国家の形成については、世界史を繙《ひもと》きながら跋渉《ばっしょう》したいところであるが、ここではペストの大流行との関係に焦点を当てることにして、先に進もう。

4　神の地位の凋落とルネッサンス

ペストの大流行との関係で見落とすことができないことは、神の地位の凋落である。このことが中世の崩壊と密接な関係があることは、非常に重要なポイントであると思われる。ペストの大流行に対して、領主は何もできなかっただろうが、神も何もできなかった。人々は、ひたすら神に祈っただろうが、神は黒くなった肉体を白くする奇跡を起こしてはくれなかった。そのときの人々の無力感を想像すると、胸が苦しくなる。

人々は、中世の「神を中心とする世界観」から解放され、「人間を中心とする世界観」へと頭を切り替えた[6]。そして、さまざまな文化を後世に残した。

すなわち、ペストは、神を戴いてつくってきた世界に穴をあけたのである。

その代表的なものを二つあげておこう。

一つは、人間の自由を謳いあげたルネッサンスである。

レオナルド・ダ・ヴィンチの『最後の晩餐』は一四九五年～一四九八年の、ミケランジェロの『ダビデ像』は一五〇四年の、ラファエロの『ベルヴェデーレの聖母』は一五〇六年の作品である。

もう一つは、教会の権威から自由になった科学である。ポーランドの天文学者で地動説を唱えたコペルニクスが『天球回転論』を出版したのは、一五四三年のことだった。

さて、ペスト禍の荒波に耐えて生きのびた人々が持っていたのは何だろうか。それは、自分のものになった自分の労働力だろう。領主の手に支配されていた労働力が、自分のものになったのである。

この労働力の行く末こそが、新型コロナウイルス禍との対比のうえで重要な要素になると私は思っているが、そのことを頭に置きながら、先に進むことにしたい。

第三章　ペスト禍後と新型コロナウイルス禍後との異同

1　二つの惨禍を比較する意味

ペスト禍後に起こった人類史を概観し、それと対比しながら新型コロナウイルス禍後に起こるだろうと思われる人類と世界の現象を予測することは、非常に重要な作業だと思う。おそらく新型コロナウイルス禍が終息した後には、膨大な研究が行われるだろう。将来において過去に起こった歴史上の諸現象を研究することは、オーソドックスな方法で行うことができる。

しかし、現時点では、新型コロナウイルス禍はまだ終息していない。したがって、現時点でできることは予測しかない。単なる予測に過ぎないものならば、あまり意味がないのではないかと言われてしまえばそれまでである。しかし、予測には、事後の研究とは別の役割がある。

その役割とは、これからやってくるであろう危険な事態を回避することである。そして、将来の選択の誤りを少なくすることである。

ある脳研究者によれば、ヒトの脳の機能を一つだけ挙げよと言われれば、間違いなくそれは「予測」だと答えると言う。[7] だとすれば、私の脳が機能している限り、予測の方に動いてしまうのは避けられない。新型コロナウイルス禍後の膨大な研究を先取りするような形になってしまうが、これから先は予測をさせていただくことにする。

とは言え、どこかで間違えてしまうのではないかという恐れがある。したがって、これからはその恐れを自覚したうえで取りかかるが、できるだけ間違いを最小にするために、まずはペスト禍後に起こった歴史的事実を念頭に置きながら、それとの異同を考察することからはじめることにする。その方が間違いを少なくできるだろう。

2 「異」は？

まず、異同の「異」の方だが、一番目につくのは、人口減少の違いである。

ペスト禍のときには、人口の半分、少なくみても三分の一が減少したと言われているが、新型コロナウイルス禍では、それほどの人口減少はないと思われる。

このことは、非常に重要な意味を持っている。すなわち、ペスト禍後には、多くの人々が死亡したが、新型コロナウイルス禍後には、それほど多くの人口減少がなく、地球は、以前とほぼ同じ人々を乗せて自動し、太陽の周りを回るということである。

また、ペスト禍後は労働力不足から農民が力をつけることになったが、新型コロナウイルス禍では、そういう現象が起こる可能性は少ないだろう。逆に、新型コロナウイルス禍の洗礼を受けて、その荒波が去った後には、労働の選別が行われる可能性があるだろう。このことは、社会の変動を起こす可能性があるので、後にまとめて考察することにする。

いずれにせよ、労働力を売ることによって生計を立てている人や零細企業の経営者の多くが苦境に陥ることは確実だろう。では、ペスト禍後に起こった一揆や反乱が新型コロナウイルス禍後に起こる可能性はあるだろうか。大規模デモが起こる可能性はあるだろうが、暴動が起こったり、反乱が起こったりする可能性は小さいと思う。

また、社会資本や工場設備や情報の量が、ペスト禍後と新型コロナウイルス禍後とは大きく異なるだろう。私は十分に研究していないので確かなことは言えないが、もともと中世の荘園制度のもとでは、社会資本や工場設備や情報といってもそれほど膨大なものではなかったであろう。しかし、現代社会では、世界中に莫大な社会資本や工場設備や情報がある。この社会資本や工場設備や情報は、新型コロナウイルス禍後にも、戦争やテロなどによる破壊活動がない限りそのままそっくり残ることになる。

このことは望ましいことではあるが、一〇〇パーセントそうとも言い切れない。なぜならば、ペスト禍後の場合は、社会資本などを刷新したり、追加することが比較的容易だっただろうが、新型コロナウイルス禍後に社会資本などを刷新したり追加したりリニューアルすることは、疲弊した労働力と新型コロナウイルスと闘うことに費やした費用との関係から、なかなか大変なことだと思われる。

３　「同」は？

まだまだあるだろうが、「同」の方に移りたい。

確実に同じなのは、人々が精神的なダメージを受けたことである。感染症の大流行後の精神的ダメージについては、多くの文学が語っているし、新型コロナウイルス禍についても、その渦中においてさえ死亡した人の遺族の悲嘆や家に閉じ込められた人のストレスやＤＶが報道されている。程度の差はあるにしても、ほとんどの人類が新型コロナウイルス禍後に精神的ダメージを抱えて生きてゆくことになるだろう。

ここで大きな問題は、ペスト禍が中世から近世への歴史的な変更を促したような大きな時代の変革があるかどうかである。

ここで、「同」という観点から見逃してならないことは、ペスト禍の前から時代の変革の兆候があったことである。

前に述べたように、ヨーロッパがペストに襲われる前から、荘園は、領主直営の古典荘園から農民の賦役を廃止して生産物や貨幣で地代を納めさせる純粋荘園に変化し、それによって農民の自由が拡大されるようになっていた。すなわち、荘園制度が崩壊し、それとともに封建制度が倒れる兆候がすでにみえていたのである。

この中世の荘園制度、封建制度に匹敵する制度を現代に求めるならば、それは資本主義であることには、誰にも異存がないだろう。

では、資本主義が崩壊するという兆候は、現時点で見えているのだろうか。

その兆候があるというならば「同」であり、ないというならば「異」である。

これについては多くの議論があるところだが、資本主義がすでに崩壊している、あるいは崩壊しつつあるという著作物は山ほどある。

冷静に見れば、崩壊している部分もあり、崩壊していない部分もあるというのが穏当なところだと思うが、どこにその兆候があらわれているか、またそれが新型コロナウイルス禍後にどのように変化してゆくかは大きな問題なので、これからその問題に取り組むことにしたい。

この問題は、新型コロナウイルス禍後に、人類と世界が、新型コロナウイルス禍前の状態に戻るというところから、中世が近世に移行するような大変革が起こるというところまで、極めて大きな振れ幅がある。

第四章　V字型の回復はあり得るか

1　V字型回復と新型コロナウイルス禍の長さとの関係

新型コロナウイルスの感染が拡大しつつある最中に、「新型コロナウイルス禍後には経済がV字型に回復する」という言葉をときどき聞いた。

経済がV字型に回復し、新型コロナウイルス禍の前に戻ることは、多くの人が望んでいるところだと思う。

多くの人は、外出自粛の軛《くびき》から解放されて、職場に行って同僚と元気よく働いたり、談笑したり、バーのカウンターに腰かけてハイボールのグラスを傾けたりしたいと思っているに相違ない。

しかし、新型コロナウイルス禍の前に戻るV字型の回復があり得るのだろうか。

それは、新型コロナウイルス禍がいつ終息するかという問題にかかっている。すなわち、V字型回復の可能性は、新型コロナウイルス禍の長さに反比例するということである。

新型コロナウイルス禍がどれほど長く続くかということは、現段階では予測の域を出ない。しかし、新型コロナウイルスの治療にあたっている医師であるならば、ある程度確度の高い予測をすることができるだろう。
二〇二〇年四月二〇日の毎日新聞に、ニューヨーク市のマウントサイナイ病院の集中治療室（ICU）で患者の治療に当たっている石川源太医師（呼吸器集中治療医）の談話が掲載されているので、少し長くなるが、ここで引用しておきたい。
石川医師は、「この感染の広がりはいつまで続くとみるか」という質問に、次のように答えている。

数週間とか数カ月で終わる話ではないと思う。米国では既に2200万人以上が失業しており、経済活動をいつか再開することになる。それに伴って外出規制をある程度緩めると、新たな感染者が増えて患者が病院にやってくる。そうなれば医療崩壊を防ぐために今度はまた外出規制を強めることになる。これを繰り返すことになる。米国では分析が進んでおり、ワクチンや特効薬がない現状では2022年までは外出規制は断続的に続ける必要がある、とするハーバード大研究チームの論文もある。日本も独自の分析が必要ではないだろうか。

日本は今、感染者が増えている。大変だが、でもここで頑張れば夏には終息すると思っている人もいるかもしれない。けれども、それはあくまで希望的観測で根拠に乏しい。そもそも従来のコロナウイルスは秋から冬に流行するもので、今回の新型コロナもそうなる可能性がある。死亡率を下げることにつながる特効薬はできておらず、感染拡大を防ぐワクチンの開発には少なくとも1年はかかる。実際には1年、2年という戦いになるかもしれない、ということを政府がきちんと見据えて国民に語ることが必要だと思う。私の病院では、「This may be a marathon, not a sprint（これは短距離走じゃなくてマラソンだ）」と言われている。

2　精神的ダメージからの回復

こうなると、長期戦を前提にして考察を進めた方がよさそうである。

すなわち、この問題は、新型コロナウイルス禍が長期に及ぶときにV字型の回復はあり得るかという問題に切り替わり、その問題について考察すればよいということになる。

V字型の回復が可能だとしても、それを担うのは「人」である。したがって、担う「人」自体がV字型に回復することができるか、ということを考えておかなければならない。

なぜそのようなことを考えなければならないかと言うと、多くの人が新型コロナウイルス禍によってダメージを受け、傷つき、倒れてしまっているのではないかと思うからである。

これには、大きく分けて精神面と経済面とがある。

中には、精神面も経済面も影響はないという人がいるだろう。こういう人が大部分であれば、安堵の気持が湧いてくる。

しかし、精神面はダメージを受けたが、経済面は大丈夫という人もいるだろう。また、精神面は持ちこたえたが、経済面は立ちゆかなくなってしまったという人も少なからずいるだろう。そして、経済面が立ちゆかなくなったら、精神面も蝕《むしば》まれるだろう。新型コロナウイルス禍が長くなればなるほどそういう人が増えてくるだろう。石川医師が言うように、米国では二二〇〇万人が失業したという事実は尋常ではないと思う。

ところで、首相や都知事がテレビにさかんに登場して、「不要不急のことは控えてください」という言葉を連発した。

この「不要」という言葉を聞いて傷つく人が多いのではないかと、私は思っている。多くの人は意識していないかもしれないが、この「不要」という言葉は、潜在意識の深いところにもぐり込んで、人の心を傷つけてしまうのではないだろうか。

だいたい私は、世の中に不要なものはないと思っている。しかし、この言葉を聞くと、「私は不要な人間か」と思ってしまう。したがって、この「不要」という言葉によって受けたダメージを回復することは難しいのではないかと思っている。とくに、不要不急として自粛を求められたキャバレー、バーなどの接客業に従事する人は、たいへん傷ついているのではないかと私は心配している。

そのような人でなくても、職場にも行けず、家に閉じこもることは、普通の人間にとっては不自然な生活である。その不自然さによってストレスがたまり、ひいては家庭内の暴力や離婚騒動にまで進んでしまう可能性がある。

新型コロナウイルス禍が長引いて、精神面の回復が困難になると、それだけでV字型の回復が難しくなる。したがって、新型コロナウイルス禍が終息したときは、心のケアをどうするかということを考えておく必要があると思う。精神面の回復ができなければ、経済面のV字型回復はおぼつかなくなるからである。

なお、心のケアは、新型コロナウイルス禍が終息する前でも必要であり、すでにボランティア団体などが取り組んでいることは、たいへんこころ強い。

3　回復の検討が業種別である必要性

それでは、経済面のV字型回復はできるだろうか。

これは、対象とする業種やそのときの状況によって異なり、一概に言い切れるものではない。

このことを問題にするときには、個々の個人なり企業なりのV字型回復をとりあげるのか、国なり世界なりの全体を取り上げるのかによって、答が変わってくる。国なり世界なりを取り上げる場合には、指標や統計が使われるだろうが、それを個々の個人や企業に当てはめて、V字型の回復ができたとかできなかったとか言っても、個々の個人や企業にとっては役に立たない。例えば、新型コロナウイルス禍後に九五パーセント回復したという統計を示されても、倒産した企業が再建不能になっていれば、その企業にとってはV字型の回復はなかったことになる。

例えば、人が密集する場所として指定されていた飲食店は、V字型の回復をはかることができるだろうか。

新型コロナウイルス禍が長引けば、倒産したり閉店したりに追い込まれている店も少なくないだろう。こうなってしまったら、V字型の回復などはとうてい望むことができない。仮に倒産や閉店を免れて、晴れて店を開けるとしても、新型コロナウイルス前と同じように従業員は戻ってくるだろうか。顧客は前と同じようにきてくれるだろうか。

それは、それぞれの飲食店によって異なるだろう。しかし、新型コロナウイルス禍が長引けば、あらかたの飲食店は前と同じように回復する可能性は小さいのではないだろうか。なぜならば、新型コロナウイルス禍が長引いたときには、全体の労働力が衰弱化しているとともに労働力の偏在化が起こっている可能性が大きいからである。

これは、ほんの一例であるが、この例で分かるのは、経済がV字型に回復するかどうかを考察するときには、業種ごとに検討し、分析することが必要だということである。

その分析の結果によっては、産業構造が大きく変わっている可能性がある。その可能性の大きさは、新型コロナウイルス禍の長さによって異なるだろうが、産業構造の変化によって社会も変動する可能性もあるだろう。社会の仕組みの全部が変わる可能性は小さいと思うが、ゼロだと断定することはできないと思われる。

いずれにしても、新型コロナウイルス禍の渦中にある現時点で資料を収集し、分析しはじめ、経済と社会の行く末を見守っておく必要があると思われる。それは無駄になるかもしれないが、新型コロナウイルス禍が終息したときには、何かの役に立つものになるだろう。

4 経済がV字型に回復する可能性

しかし、新型コロナウイルス禍が終息したときに、経済がV字型に回復することはあるのだろうか。

これは、新型コロナウイルス禍の長さにもよるが、前述の石川医師によれば相当に長引くことは必至のようであるから、V字型の回復は困難なように思われる。すなわち、経済がすっかりV字型に回復して、新型コロナウイルス禍の前の状態まで回復する可能性は小さいと言わざるを得ない。

ある部分は回復し、ある部分は回復できないという現象が起こるのではないだろうか。それでも、回復できない部分を修復したり、代替措置を講じたりして、経済を立て直すことはできるだろう。たいていの人はそのように考えているのではないかと思われる。

しかし、はたしてその通りになるだろうか。大袈裟な言い方になるが、人類の歴史はそのように流れるだろうか。世界はそのような姿になるだろうか。

まあ、そうなるだろうと思わないでもないが、必ずしもそうなるとは限らないのではないだろうか。

この新型コロナウイルス禍によって、誰しもが、ヒトという動物は案外弱いということを知ったのではないかと思う。長い歴史の中で構築してきた経済や社会やシステムが意外に脆《もろ》いということを知ったのではないだろうか。

そして、新型コロナウイルスによって、その弱さや脆さを突かれ、人にも経済、社会にも大きな亀裂を入れられてしまったということを、骨の髄から知ってしまったのではないだろうか。

その亀裂が大きくなって、経済、社会を一気に崩壊させてしまう心配はないだろうか。全部を崩壊させなくても、立ち直ることを困難にさせるほどのダメージを受けることはないだろうか。

そんなことがなければ僥倖であるが、その可能性が絶対ないとは言えないだろう。

したがって、ここでなすべきことは、どこにどの程度の亀裂が入っているか、そしてその亀裂がどのように変化するかである。それは、現在の段階で知っておきたいことであるが、今の私には、新聞報道などの断片的な情報によって想像するしか能力がない。

5 V字型回復がいいことなのか

それはともかくとして、V字型の回復があり得るかという課題については、もう一つ重要なポイントがある。

それは、新型コロナウイルス禍が終息したときに、経済がV字型に回復することがほんとうに望ましいことなのか、という根源的な問いである。

平たく言えば、新型コロナウイルス禍の前の状態に戻ればよいという問題なのかということである。

新型コロナウイルスの感染拡大やいつ終息するかの見通しが立たないときには、とにかく早くこの禍《わざわい》が去って、もとに戻りたいというのが人の情というものであろう。しかし、もとに戻れない状況になってしまった人が少なからず存在する。そういう人に対して、V字型の回復という言葉ほど空しいものはないだろう。

そして、V字型の回復は、かなり難しいということは、すでに今でも分かっている。だとすれば、V字型の回復にはこだわらずに、これから生きてゆく術を模索する方がよいのではないだろうか。

経済や社会にしても、V字型の回復にこだわらずに、将来を見据えて、事業計画や制度設計をすることに集中する方がよいのではないだろうか。そして、直すべきところは直し、直す必要がないところは整理して、先に進む方がよいのではないだろうか。

人にしても企業にしても、これはまさしく選択の問題である。

V字型の回復よりも将来構想という方向に切り替えるならば、そこには多くの選択肢があるだろう。そのときに必要なのは、自らの力量を正確に把握し、世の中の、あるいは歴史の流れを読み込んで、選択を誤らないことに専心することだと思う。すなわち、多くの選択肢の中から最も適切な選択ができるかどうかである。

これは、個々の個人や企業などだけでなく、ときの為政者にも必要なことだと思う。選択を誤らない為政者がほしいものだと思っているが、はたしてそういう為政者に恵まれるだろうか。

これも可能性の問題であるところが心もとないが、同じように考えている人は多いのではないだろうか。

因みに前述の一四世紀のペスト禍のときには、V字型の回復は問題にされていなかった。反動的な封建領主の抵抗はあっただろうが、歴史は回復の方向に向かうことなく、封建制度の崩壊という流れに向かって行った。

であるならば、この度の新型コロナウイルス禍によって、どこかに地殻変動が起こっているかどうか、そして、これから地殻変動が起こるかを見極めておく必要があるだろう。

第五章　労働力

1　一〇万円は人の存在に対して支給されるもの

私は、地殻変動が起こっているならば、それは労働力だろうと思っている。そして、労働力の変動から入ると、地殻変動の様相が見えてくるのではないかと思っている。

これから述べることは、この度の新型コロナウイルス禍によって顕在化するかどうかは分からないが、ここで地殻変動の様相を見ておくことは、人々にとって今後の選択の参考になると思う。

私は前に、この度の一〇万円を一律支給するという政策に理論的なバックボーンがないと言った。

少し考えればすぐに分かることだが、この一〇万円は労働力の対価ではない。つまり、労働力には関係がないのである。

では、いったいこの一〇万円は何なのだろうか。

失業手当とか生活保護とかの社会保障だという理屈も通らない。何しろこの一〇万円は、全国一律の支給であるから、大金持ちにも配られるのである。その大金持ちに向かって社会保障だと言っても、当人はピンとこないだろう。

要するに、この一〇万円の性格ははっきりしない。首相の人気取りだとか、支持率維持が目的だとか言われれば分かるような気がするが、そのような目的で一二・八八兆円もの財政支出をするものだろうか。また、してよいのだろうか。

こう考えるとますます分からなくなる。あらかたの国民は一〇万円貰えればよいと思っているのか、この一〇万円の性格を問題にする声は、私には聞こえてこない。新聞報道を読んでも、テレビを視聴しても、僅かしか私の耳目に入ってこない。

こんなことを考えている私の方がおかしいのだろうかと思わないことはないが、そう思う度にこれだけは言っておきたいという気持がつのってくる。

そこで、言わせていただくことにする。

結論を言えば、今回の一〇万円は、人の労働力に価値をつけて、その価値に対して支給されるものではなく、人がそこにいるから支給されるものである。では、なぜそこにいれば支給されるのだろうか。それは、そこに存在するからである。つまり、存在すること自体に価値があるから、その価値に対して支給されるのである。逆に存在に価値がないのならば、支給されるはずのものではないのである。

首相がそのことを意識しているとは思われないが、事実を素直に見れば、たいていの人はその通りだと思うだろう。何しろ住民基本台帳に基づいて支払われるというのであるから、これを否定することは難しいと思う。

これは何でもないと思われるかもしれないが、じつは歴史的な大転換なのである。何しろ労働が価値を生むという資本主義の大原則に反するものだから。

しかし、この歴史的な大事件は、一回限りで終わるのだろうか。存在自体につけられた価値は、一瞬のうたかたとして消え去るのだろうか。私が「一〇万円一律支給に続く事態」という章を冒頭に置いたのは、はたして一回限りでよいのだろうかという思いがあるからである。

2　労働の意味の変化

前に労働が価値を生むという資本主義の大原則と言ったが、これはあまりにも簡略化した言葉であるから、補足しておく必要があるだろう。

アダム・スミスからマルクスに継承された学説に労働価値説がある。この労働価値説を簡単に言うと、人間の労働が価値を生み、労働が商品の価値を決めるという理論である。ここは経済理論を展開する場ではないので、労働価値説は簡単な説明にとどめ、先に進むことにしたい。

労働価値説はともかくとして、人々は、働くことによってその労働力に対する対価としての賃金や報酬を得て、それによって生活をしていることは確かである。預金の利息や株式の配当によって生活している人や年金で暮らしている人もいるが、そういう人々が大半だという社会ではないので、ここでは働いて暮すという人に絞ることにしたい。

働いて暮す、言葉を換えれば、労働の対価を生活の糧にするということが、資本主義の原則である。

もう少し資本主義に言及するとすれば、資本家が資本を投じて工場や機械設備をつくり、その機械設備に原材料と労働者の労働力を投入して商品を生産し、その商品を市場で売却して経済を循環させるというのが、資本主義の基本的な構造である。このとき、労働者は労働力を資本家に売るのであるから、労働力も商品化されているという言葉で説明される。

さて、この度の全国民に一人当たり一〇万円を一律支給するという政策である。これによって、この政策が資本主義のシステムに関係がないということがはっきり分かるだろう。関係がないというよりも、資本主義のシステムに反することなのである。

断っておくが、私は、一〇万円の一律支給に反対しているのではない。この一律支給によって、一人でも死地を脱する人がいれば、そしてこの一〇万円によって経済的に救われる人がいれば、多くの無駄があってもよいと思っている。

むしろこの政策は、非常に興味深く、場合によっては、将来とるべき道筋を示唆しているのではないかと思っている。

しかし、この政策は、労働が価値を生むという資本主義の大原則に反している。そのことをしっかり押さえたうえで、この政策が持っている意味を考えておきたいと思っている。

3 「働かざる者食うべからず」からの脱却

一〇万円の一律支給という政策は、別の面からも興味深い試みである。

新約聖書のテサロニケの信徒への手紙二の第三章第一〇節には、「働こうとしない者は、食べることもしてはならない」という言葉がある。

私は、子どものころに、トルストイの『イワンの馬鹿』を読んで、「働かざる者食うべからず」という固定観念というか強迫観念というか、そういうものが頭にこびりついていて、今でもワーカーホリックから抜け出すことができない。

聖書やトルストイを持ち出すまでもなく、「働かざる者食うべからず」というのは、一般人の行動規範になっていると言ってもよいだろう。

しかし、この度の一〇万円の一律支給は、そういう行動規範を覆すものである。たとえ一回限りの支給だとしても、とりあえずは働かなくても食べることはできるのである。

これは、神の教えや、道徳や、行動規範にも反することなのである。

いったいこれは何なのだろうか。神の教えや道徳や行動規範に反してでも、存在自体に価値を認めることによってはじめて許されることではないだろうか。

4　労働力の大幅なシフト編成

なぜ、このようなことが許されるのだろうか。

それは、新型コロナウイルスの感染拡大によって、どんどん患者が増える恐れがあるからである。また、そのことによって、医療崩壊が起こり、パンデミックが起こる恐れがあるからである。

感染拡大を防ぐのであれば、外出をしないようにして、人と人との接触を可能な限り少なくしなければばならない。また、飲食店などの営業も休止したり、縮小したりしなければならない。そうなると、働きたくても働くことができない人が増えて、放っておくと経済面からも生命が脅かされることになる。

働きたくても働けないという現象だけでなく、労働力の価値が下がるという現象も起こっている。そして、職種によっては、不要となる労働もある。

職種によっては不要となる職種については、新型コロナウイルス禍が起こる前から懸念されていたことである。すなわち、人工知能（ＡＩ）が人間の知能を超えるシンギュラリティ（技術的特異点）を迎える二〇四五年には、多くの人が職を失うという予測があり、そのことに関する本は山ほどある。

ペスト禍後には人口の大幅減少があって労働力は不足したが、新型コロナウイルス禍後には大幅な人口減少がなく、労働力が余る可能性がある。少なくとも、新型コロナウイルス禍後には大幅なシフトの編成があり、労働力が偏在する可能性は高いと思われる。そして、そのことに伴って、新型コロナウイルス禍の前から問題にされていた格差がますます拡がることは、まず間違いないと思われる。

第六章　資本主義は終わりつつあるか

1　資本主義は崩壊しつつあるのか

繰り返しになるが、ヨーロッパがペストに襲われる前から、荘園は領主直営の古典荘園から農民の賦役を廃止して、生産物や貨幣で地代を納めさせる純粋荘園に変化して荘園制度が崩壊し、それとともに封建制度が倒れる兆候がすでに見えていた。ペストの大流行は、この崩壊現象に引導を渡し、次の時代へと道筋をつけたのである。

この中世の荘園制度、封建制度に匹敵する社会制度を現代に求めるならば、それは資本主義であろう。

では、資本主義が崩壊するという兆候は、現時点で見えているのだろうか。

この点については大いに議論が分かれるところである。

二〇〇八年のリーマン・ショック以降、資本主義が崩壊し終焉したという著作物がたくさん出版されたが[8]、それでもまだ、資本主義が崩壊したとか、資本主義が終焉したという説は主流になっていない。しかし、主流にはなっていないものの、資本主義が相当危うくなっていることは多くの人が気づいているであろう。少なくとも、資本主義に重大な欠陥があることは、大多数の人が認識しているところではないだろうか。それは、近年格差が拡大し、その格差を是正する手を打っていないことがはっきりしてきたからだと思われる。

新型コロナウイルスの感染拡大を目の前にして、多くの人々は感染を防止することに気を取られ、もっぱら早期のV字型の回復を願っているが、その間にも格差がますます大きくなっていることは知っておくべきだろう。

したがって、今しばらくは目につきにくいが、資本主義が終わりつつあるかどうか、そのことはしっかりととらえておく必要があると思われる。

2　資本主義の定義

資本主義は終わりつつあるか、ということをテーマにする以上、まずは、資本主義の定義をしておく必要があるだろう。

資本主義の定義についてはいろいろな説があるが、標準的な定義として、辞典の定義を引用させていただくことにする。


資本主義という言葉は19世紀中頃からイギリスで用いられはじめたが、その定義は必ずしも明確でなかった。これに明確な規定を与えたのはマルクスである。マルクスによれば資本主義とは、一方で生産手段が少数の資本家の手に集中され、他方に自分の労働力を売る以外に生活する手段をもたない多数の労働者階級が存在するような生産様式をさす。この生産様式は次の諸点において、それ以前の生産様式と異なっている。（1）商品生産が社会のすみずみまでいきわたり、労働力までが商品化されて、価値法則が貫徹していること、（2）労働者が身分制などの拘束から解放されて自由となり、また生産手段をも失って「二重の意味において自由」であること、（3）したがって労働者からの搾取は経済外的強制によらず、経済的強制によって行なわれ、必要労働と剰余労働とが空間的に分離されていないこと、（4）生産手段の私有制が完全に確立していること、である。(9)

このマルクスの定義は、今でも一部「なるほど」と思わせるところがあるが、総じて古色蒼然とした印象があると同時に、いかにも対象が狭いと言わなければならないだろう。すでに私たちは、独占資本主義、金融資本主義、マネー資本主義、強欲資本主義などと頭に形容詞がつくような資本主義を経験しており、それが「資本主義」という言葉で語られている以上、それらを全部資本主義の範疇に入れなければならないからである。

また、マルクスの定義が狭いと感じられるのは、それが主として産業革命以後の大規模な工業生産を念頭に置いているからであろう。すなわち、この定義の中には、流通、サービス、金融、情報などの仕事が直接的には入っていないからである。

一定の元手を使って生産するだけでなく、物の売り買い、金の貸し借りなどは大昔からあったことだが、資本主義の時代における流通、サービス、金融、情報などの仕事がそれより前の時代のそれと異なるところは、市場を使って莫大な資金を集め、それこそ「社会のすみずみまでいきわたる」大規模なシステムを社会の中に組み込んでいるところであろう。したがって、資本主義を定義するのであれば、流通、サービス、金融、情報などの仕事も、その範疇に入れておく必要がある。

こうしてみれば、「資本主義」とは、産業革命以後の社会のほぼ全体にゆきわたっている経済体制という意味で使われていると言ってよいだろう。

3　資本主義の終焉とハイパー・インフレーション

「資本主義」という言葉をこのように定義し、このような意味で使われているときに、では、どのような状態になったら「資本主義は終わりつつある」ということになるのだろうか。

これについてはさまざまなことが言われている。例えば、二〇〇八年秋の米国発の金融危機によって資本主義が終焉したと言う論者もいるし、いやその前に、多くの国が社会主義政策を導入したときにすでに資本主義ではなくなったのだという論者もいる。しかし、表面にあらわれているそのような現象だけで資本主義の終焉を説くのは、説得力に欠けるところがあると思われる。このことは、「終焉」とまでは言えなくても、「終わりつつある」という場合にも当てはまると思う。

しばらく、「終焉」についてみておこう。

マルクスによれば、生産過剰による恐慌が引き金になって資本主義が崩壊するということになるのだろう。これは、マルクスの定義からすれば、論理必然的に出てくる結論であるように思われるが、歴史的な事実によれば、恐慌が起こっても資本主義そのものは崩壊しなかった。すなわち、生産過剰による恐慌によっては、資本主義は終焉しないのである。

このことは、岩井克人教授が指摘しているところであり、私もその通りだと思う。その岩井教授は、ハイパー・インフレーションによる貨幣が崩壊したときをもって資本主義の終焉としていて、次のように述べている。

貨幣が今ここで貨幣であるとするならば、それはつぎのような因果の連鎖の円環によるものであった。すなわち、貨幣が今まで貨幣として使われてきたという事実によって、貨幣が今から無限の未来まで貨幣として使われていくことが期待され、貨幣が今から無限の未来まで貨幣として使われていくというこの期待によって、貨幣が今ここで現実に貨幣として使われるという円環である。この円環が正常に回転しているかぎり、貨幣は日々貨幣でありつづけ、その貨幣を媒介として、商品世界が商品世界としてみずからを維持していくことになる。しかしながら、もし、過去になされた現在にかんする期待がことごとく裏切られ、過去がもはや無限の未来の導きの糸とはならなくなったとしたならばどうなるのだろうか？　そのとき、貨幣を貨幣として支えている円環がもろくも崩れさってしまうことになるのである。

ひとびとが貨幣から遁走していくハイパー・インフレーションとは、まさにこの貨幣の存立をめぐる因果の連鎖の円環がみずから崩壊をとげていく過程にほかならないのである。[10]

そして、そのときこそが、「巨大な商品の集まり」としての資本主義社会の解体（Spaltung）に他ならないとされている。この説によれば、まだ決定的なハイパー・インフレーションは起こっていないから、将来はともかく、現在のところ「資本主義は終わっている」とは言えないことになるのだろう。しかし、ハイパー・インフレーションの予兆があらわれたら、「終焉」とは言えなくても、「終わりつつある」という段階に入ってゆく。けれども、先進諸国には、その予兆はあらわれていない。

新型コロナウイルス禍によって、先進諸国のどこかでハイパー・インフレーションが起こるだろうか。

新型コロナウイルス禍が長引いて、貨幣を増発し、貨幣価値が下落すれば、ハイパー・

インフレーションが起こらないとも限らない。そのときには、「終わりつつある」という現象が加速することになるだろう。しかし、そのような現象が起こる可能性は高くないと思う。したがって、この論理を使って「資本主義が終わりつつある」ということは難しい。

4　資本主義の基礎をなしている三つの要素

そこで、これとは別の指標を使って、「資本主義が終わりつつある」かどうかを検証することにする。すなわち、位相を低い所に置いて「資本主義」を見ることによって、そこから資本主義の様相を探ることである。「位相を低い所に置く」ということは、資本主義の基礎を見るということである。

川島武宜教授によれば、資本主義経済における規範関係は、次の三つの要素が基礎になっている。

（1）私的所有　富が商品であるということは、富に対する排他的な完全な支配——すなわち、私的所有——の相互承認なくしては、存在し得ない。

（2）契約　商品に対する排他的支配の相互承認という前提の下では、商品（私的所有）の交換は、交換当事者双方の合意なくしては、存在し得ない。この合意が契約である。

（3）法的主体性　商品交換の過程においては、交換当事者は、私的所有および契約をとおして、相互の独立主体性――すなわち法的主体性――を承認しあっている。[11]

すなわち、私的所有、契約、法的主体性が資本主義の基礎であり、これが中学校の教科書にも書いてあるように、「身分から契約へ」という封建制度の時代から資本主義の時代への変化のメルクマールである。

歴史上、資本主義は二度の大きな挑戦を受けている。一度は、共産主義革命である。しかし、ソヴィエト連邦が崩壊し、中国が市場経済を導入して、この挑戦は退けた形になっている。もう一度は、ナチスによる全体主義（国家社会主義）からの挑戦である。これも、ヒットラーの敗北により、資本主義は持ちこたえることができた。

この二つの挑戦の見逃すことができない特徴は、資本主義の基本的な要素である「私的所有」に手を突っ込んで否定し、国家が「契約」を規制・管理し、人権を侵害して「法的主体性」を無視したところにある。

この二つの挑戦は退けることができたが、それでは資本主義は終わりつつないということになるのだろうか。このことに関し、資本主義と社会主義を対比するとともに、もう一つの「混合経済」という考え方について後に検討するが、その前に、資本主義の基礎に亀裂が入っていることを見ておこう。

5　私的所有の侵蝕

前に述べたとおり、資本主義経済における社会の規範関係は、私的所有、契約、法的主体性の三つの要素が基礎になっている。つまり、封建時代が終わって近世から近代に入り資本主義の時代になったメルクマールは、個々人が領主の支配から脱して主体性を持った自由な個人になったこと、同時に土地をはじめ私有財産を持つことを禁じられていた支配を排除して私的所有が認められるようになったこと、独立した個人が生産した商品を対象にした契約によって取引することができるようになったこと、以上の三つである。仮に私有財産を持っていなくても、法的主体性を持った各個人は、自分の労働力を売ることによって、富と交換することができる。

これが資本主義の基本的な仕組みであって、私的所有、契約、法的主体性の三つの要素が揺るがずに維持されている限り、資本主義は終わる過程に入っていないということになる。しかし、この三つが維持できなくなると、資本主義の基礎が崩壊して、「資本主義は終わりつつある」という状態になり、やがて終焉する。

そこで、この三つの要素が揺るがずに維持されているかどうか、そのことによって、まだ「資本主義の時代だ」と言えるか否かを、考察しておきたい。

なお、前項で引用した私的所有、契約、法的主体性の意義は商品取引に特化しているような印象があるが、この三つの要素は、資本主義社会に共通する基礎であり、今まさにその資本主義が終わりつつあるか否かをテーマにしているのであるから、商品取引に限定しないで論じたい。ただし、三つの要素と言っても、これは理念形態であるから、多少の揺るぎがあっても大目に見る必要があるだろう。問題は、これを維持しきれなくなりつつあるかどうかである。

ここで取りあげているのは、主としてストックの問題である。これについてはいろいろな角度から考察することができるが、その一つとして、日本の政府債務がどの程度所有権を侵蝕しているかを見てみよう。

二〇二〇年一月二〇日に内閣府が発表した二〇一八年度の国民経済計算年次推計によると、個人と民間企業と民間非営利団体が所有する正味資産は、三四五七・四兆円である。これに対し、二〇一九年三月末の国債と借入金及び政府保証債務を合わせた債務残高は一一〇三兆三五四三億円である。時点のずれはあるが、民間が所有する正味資産の約三分の一に匹敵する国の借金があるということであり、その分ストックとしての資産すなわち所有権がすでに侵蝕されているということになる。この政府債務の総額一一〇三兆三五四三億円を公債金収入を除く歳入の六三兆〇八四九億円で割ると、約一七・五という数字が出る。すなわち、公債金収入を除く歳入のすべてを国の債務の返済に充てても一七年半もかかるのであるから、とても返済可能な額ではない。したがって、これから政府債務が所有権を侵蝕する度合いが、増えることはあっても、減ることはないと言うことができる。

　これに対して、政府債務に引き当てられているのは、民間が所有する資産だけでなく、国や公共団体が所有する財産もあるという反論が予測される。それは確かであるが、国や公共団体が所有する財産のほとんどは他に転用できるものではない。したがって、私的所有のうちのかなりの部分は、すでに政府債務によって侵蝕されているのである。

　これは、人々の資産が国によって収奪される危険性をはらんでいるということである。では、具体的には、どのような方法で収奪が実行されるのであろうか。

　その中には、意識的に行われるものや、成り行きで行われるものや、別の目的で行われることが結果として実行されたと同じことになるものなど、さまざまな方法がある。

　意識的に行われるものの代表は「増税」であるが、増税によって景気が悪化することが恐れられたり、選挙の機会に得票を落とすことが心配されたりして、なかなか実行できないのが実情である。二〇一九年一〇月に消費税が八パーセントから一〇パーセントに引き上げられたが、急激な景気変動がない限り、政府が増税に踏み切る可能性は低いだろう。

　意識的に行われるものでなく、成り行きで行われるものにはいろいろあるが、新型コロナウイルス禍の影響という観点からすると、インフレーションによって、実質的に所有権の価値が下落してくることに注意すべきだと思う。ハイパー・インフレーションまでにはゆかないとしても、新型コロナウイルス禍が長引いて生産が滞ってくるとジワジワと物価が上昇する可能性はかなり高いとみるべきだろう。

以上によって、資本主義の基礎をなしている三つの要素のうちの「私的所有」の相当な部分がすでに侵蝕されていることが明らかになったと思う。

6　契約と法的主体性の危機

ここまで資本主義の基礎をなしている三つの要素のうちの「私的所有」について述べてきたが、残りの二つの要素、すなわち、「契約」と「法的主体性」についても少し見ておこう。

「契約」については、契約の危機という言葉が、以前からよく言われていた。すなわち、今日の社会では、公の機関が当事者の意思決定に介入している。さまざまな局面で契約への公的介入を要請し、また許容しており、多くの規制が加えられてきた。それに伴い、伝統的な契約法は、大きな変貌を迫られるようになった。これは、今日の社会が抱えている現実の姿であって、規制緩和政策がとられるようになっても、大局的には変わらない。とくに経済危機が叫ばれるようになると、いっそうこの傾向は強くなる。この例は枚挙にいとまがないが、例えば、破綻した企業に公的資金を注入するときには、受け入れる側は意思決定に制約を受けるであろう。また、農林漁業に対して財政援助をする必要が生じたときには、土地の利用方法などにおいて特殊な契約をする必要があるだろう。こうしてみると、「契約」も、単なる揺らぎにはとどまらず、修復のできない段階に入っていると思われる。

そういうときに新型コロナウイルス禍に襲われるとどのようになるのだろうか。

外出もできない状況が長く続く中で、予定していた契約もできず、解約やキャンセルが続出していることは、連日報道されている。

とくに重要なのは、雇用契約が危うくなっていることである。

これに対して、従業員を解雇しないで給料を支払い続ける中小企業に補償金を出すという案が浮上しているが、これは政府が雇用契約に介入して手当てしなければならないところにまで契約が変形したことを意味する。

このような状況が常態になると、契約関係にひびが入り、大きく変形したりすることになるだろう。以前から契約の基礎が揺らいでいたが、新型コロナウイルス禍によって、契約の在り方が変わり、第三者の介入や強制が加わってくる可能性があることを念頭に置いておく必要がある。

では、「法的主体性」はどうだろうか。新型コロナウイルス禍の前から精神病が増え、「法的主体性」が危うくなっている現実があった。しかし、何と言っても重大な問題は、労働が危殆に瀕していることである。すなわち、資本主義では、労働者は労働力を売って生きてゆくことが前提であるのに、その前提が崩れていることである。具体的には非正規労働者の問題など、現在の日本で起こっている問題をあげればきりがない。失業者が増え、労働力を売りたくても売ることができない状況になったとき、すなわち、自分の力で生活ができなくなったときには、法的主体性も何もあったものではない。法的主体性が危うくなっていることは、格差が非常に大きくなっているのを見ている現代人の大部分が実感しているのではないかと思われる。

すでに法的主体性が危うくなっていたところに、新型コロナウイルス禍によって「法的主体性」が決定的なダメージを受けるのではないかと、私は恐れている。

資本主義の基礎である三つの要素、すなわち、「私的所有」、「契約」、「法的主体性」の相当部分に新型コロナウイルス禍以前からひびが入っていたが、新型コロナウイルス禍は、亀裂を広げて資本主義の基礎を壊してしまう可能性がある。基礎が壊れれば、その上に載っている建物、すなわち資本主義の表層がどんなに立派に見えても、すでに「終わりつつある」と言うことができるのではないだろうか。「私的所有」、「契約」、「法的主体性」という基礎の上に建っている「資本主義」という建物がどんなに堂々と見えても、基礎が壊れていれば、その建物は倒壊しつつあり、やがて崩れ去る運命は免れないと思う。

7　社会主義、混合経済

「終わりつつある」という兆候があらわれている資本主義に、新型コロナウイルス禍は引導を渡すことになるのだろうか。

その可能性が高いとは思わないが、もしそのようなことになったら、いったい次の時代はどうなるのだろうか。

ここですぐに念頭に浮かぶのは、「社会主義」である。

途中で撤退したものの、今年のアメリカ大統領選挙に民主党から立候補を表明したサンダース上院議員が民主社会主義を唱えて若者から相当な支持を集めたことをみると、社会主義へ移行する兆候がまったくないとは言い切れないだろう。

そこで、資本主義の対極にある「社会主義」も見ておく必要があるだろう。「社会主義」、あるいは「社会主義社会」の定義にも諸説があるが、ここでも辞典を引用させていただくことにする。

社会主義社会の生産関係は、次の三つの特徴をもっている。（1）生産手段の社会的所有、（2）勤労者の搾取からの解放、（3）勤労者自身のための生産物の分配。そこでは生産手段は、資本主義社会におけるように個人の私有ではないから、生産手段の私有者たる搾取者階級もなくなる。そしてこの生産手段の社会化は、生産手段と労働力の計画的配分・利用を可能にするものであるから、社会主義社会は、計画的に経済が運営される計画経済社会である。勤労者の生産する生産物は、一部はさらに生産手段として役立って社会的所有になるが、生産物の中の消費物資は、おのおのの勤労者の「労働の量と質に応じて」彼らのために分配され、勤労者の個人的所有となる。[12]

この定義は、社会主義社会は資本主義社会から共産主義社会に移行するときにあらわれるもので、共産主義社会の前段階にある社会であることを前提にしている。これは多分に理念的なものであるから、もっと一般的に「社会主義」は、資本主義の生み出す経済的・社会的な矛盾を、私有財産制の廃止、生産手段や財産の共有・共同管理によって解消し、平等で調和のとれた社会を実現しようとする思想および運動であり、共産主義・無政府主義・社会民主主義などを含む広い概念ととらえることにしたい。

一般的にはこのように広い概念としてとらえられているので、「社会主義」という言葉は政策と結びつき、雇用政策、福祉政策などを指して、「社会主義政策」と呼ばれることが多い。このことは、例えば私有財産の廃止などを念頭に置かなくても、「社会主義」という言葉が、あちこちで使われることに通じている。

したがって、ぴったりと重なるわけではないが、雇用政策、福祉政策などに多額の財政出動をすれば、現実的には社会主義に近づくことになる。このことは、いきおい「大きな政府」を志向せざるを得なくなり、自由放任主義に価値を置く「小さな政府」志向論者からの非難の的になる。

ここで注意すべきことは、「社会主義」という言葉をどのように使用しようとも、あらかたの人は、資本主義か社会主義かしかないと考えていることである。あるいは、社会主義政策を取り入れた資本主義、資本主義政策を取り入れた社会主義という体制はあると考える人は多いだろうが、そのときに使われる概念は、「資本主義」と「社会主義」の二つだけである。

したがって、そのような認識であれば、資本主義の次は社会主義であるという考えしか浮かんでこないことになる。シュムペーターは、「アメリカの生産力の発展過程における実業家階級の成功そのものが、そしてまた、この成功がすべての階級に対して新しい生活基準を創造したという事実そのものが、逆説的であるが、この同じ実業家階級の社会的・政治的地位をひそかに切り崩すことになった」などという理由をあげて、「資本主義的な秩序が自ら崩壊する傾向をもち、かつ中央集権的な社会主義が、もっとも確からしい推定相続人であると確信する」と言っている[13]。

資本主義的な秩序が自ら崩壊する傾向を持つというのは鋭い指摘であるが、社会主義が最も確からしい推定相続人であるというのは、はたしてそうであろうか。

この考えをおし進めれば、資本主義が終焉すれば社会主義に移行する、さらに社会主義に完全に移行することによってはじめて資本主義が終焉するということになる。しかし、社会主義に移行しなくても、資本主義の終焉があるという考え、すなわち、「資本主義」

と「社会主義」の二つだけでなく、「他にもある」という考えはあり得ないことだろうか。ここで言及しなければならないのは、サムエルソンの「混合経済」という概念である。彼は、「アメリカのような先進工業国の経済生活の研究を始めるに先立って、われわれは、近代混合経済の歴史と進化の過程に目を転じなければならない」と言い、次のように述べている。

市場メカニズムというのは、経済的組織の三つの中心的課題を解決するにあたり、個々の消費者と企業が市場を通じて相互に関連し合うところの経済的組織の一形態である。指令経済というのは、資源の配分が政府によって決定され、政府が個人や企業にたいし国の経済計画に従うよう指令するところの経済組織の一形態である。今日では、これらの極端例のいずれもアメリカの経済体制の現実を描写していない。むしろ、アメリカの体制は混合経済であって、そこでは民間の機構と公共的機構の両方が経済面で統御にたずさわる。(14)

サムエルソンは、ここでは米国を念頭に置いているが、現在では米国に限らず、先進国全般の現実を描写していると言ってよいだろう。また、中国もまた混合経済を採用しており、その他の新興国も同様であって、それだけでなく、多くの発展途上国もまた混合経済だと言ってよいと思われる。こうしてみると、今や「混合経済」は、世界中に普及している経済システムだと言ってよいだろう。

このように考えると、おおまかに言えば、現在は、資本主義と社会主義が混在する混合経済の体制であると言うことができる。私も、表層を見る限り、なるほどそうであろうと思っている。

資本主義と社会主義との混合経済という考えは、政策的には資本主義的経済政策と社会主義的経済政策とを、その時々の経済情勢に応じてバランスよく採用すればよいということになるだろう。確かに近代以降、世の中はだいたいそのように動いてきたし、今後もバランスさえ崩れなければ、混合経済でうまくやってゆけるのではないだろうかと思わせるところがある。これは、好況のときには新自由主義的な理論がもてはやされ、財政出動が要請される不況のときにはケインジアンの理論が動員されることに結びついている。

では混合経済であるから、「資本主義は終わりつつある」と言えるだろうか。この問に対して、イエスと答える人は誰もないだろう。なぜならば、シェアに大小の差があっても、混合経済の中には資本主義経済が多くの部分を占めているからである。

したがって、バランスを崩して社会主義に完全に移行しない限り、すなわち、バランスを保って混合経済を維持する限り、資本主義は終焉に向かうことはないということになる。

新型コロナウイルス禍の直撃によって、このバランスが壊れ、社会主義に向かうことがあるだろうか。

その可能性は、新型コロナウイルス禍がいつまで続くかにかかっており、なかなか読み切れないが、新型コロナウイルス禍によってどのようにバランスが変化するか、その動向は見守る必要があると思われる。

8　第三の道

それにしても、資本主義でもなく、社会主義でもなく、混合経済でもないというシステムは他にないものだろうか。

リーマン・ショックによる世界的な金融崩壊を目の当たりにしたとき、これまでの経済学はいったい何をしていたのか、という疑問があちこちから湧いてきた。この疑問に関して、朝日新聞に論説が掲載されていたので、その一部を引用させていただくことにしたい。

昨年来、あるセミナーでポンペウ・ファブラ大学（スペイン）のジョルディ・ガリ教授は「経済学に対する宿題」を指摘した。ガリ教授は、最近のマクロ理論の指導的な研究者の一人である。彼は、最近の理論には、今回の世界的な金融危機を扱うだけの能力がないことを率直に認め、次のような課題を挙げた。金融危機では、問題の中心は銀行などの金融機関である。ところが、マクロ理論では、銀行、証券、保険会社などの金融システムがほとんど無視され、省略されている。また、現実の危機では、不動産や株式などの資産価値が下がったことで、不況が急激に悪化している。資産価値も標準的なマクロ経済モデルでは十分に扱えない。（中略）「貨幣」の問題を中心に据えるケインズ経済学と現在の標準的マクロ経済学との二者択一ではない、「第三の道」が見えてくる。（二〇〇九年一月三一日付朝日新聞・経済産業研究所上席研究員小林慶一郎「金融危機が与えた宿題」）

では、ガリ教授の言う「第三の道」を探し得たのだろうか。

一二年前のリーマン・ショックのときの、ガリ教授の「最近の理論には世界的な危機を扱うだけの能力がない」という指摘を、経済学が克服し得たのだろうか。新型コロナウイルスに襲われた今、経済学は世界的危機を扱うだけの能力を備えているのだろうか。それはともかくとして、資本主義が終焉を迎えつつあり、新型コロナウイルス禍によって引導を渡されるのであるならば、望ましい時代は、この「第三の道」ではないかと、私は思っている。

この「第三の道」は、とりもなおさず「共存主義へという未来」に他ならない。

新型コロナウイルス禍後に資本主義がすっかり終焉する可能性は高くはないだろうが、今からこの「第三の道」を模索することは、決して無駄にはならないと思う。

第七章　ベーシック・インカムは有りか——資本主義から共存主義へ

1　ベーシック・インカムという鍵

では、「第三の道」はあるのだろうか。

ここで思いつくのは、ベーシック・インカムである。

ベーシック・インカムというのは、政府がすべての国民に対して最低限の生活をするために必要な現金を定期的に支給する最低所得保障のことである。

これをはじめて聞く人は誰しも、

「えー、そんなの有り⁉」

と思うだろう。じつは私もそうだった。

しかし、ベーシック・インカムについての議論は、一六世紀末のイギリスの救貧法からはじまったと言われている。いや、そのずっと前から、たとえば古代ギリシャからはじまったという学説もある。それはともかくとして、少なくとも四〇〇年以上も延々と議論をしているテーマなのである。

議論されているだけでなく、実験的に導入している国もあれば、本格的に導入している地域もある。例えば、フィンランドは二〇一七年から実験的に導入した。また、オランダのユトレヒトでは二〇一六年から地域的なレベルの導入をした。しかし、国家的なレベルでベーシック・インカムの導入を行っている国はまだない。

私がここでベーシック・インカムについて述べるのは、この度の全国民に一人当たり一〇万円を一律支給するという政策が、このベーシック・インカムにどこか似ていると思ったからである。

どうして似ていると思ったのだろうか。

それは第一に、全国民に一人当たり一〇万円を一律支給するという政策の根拠がベーシック・インカムの考え方につながっているからである。

私は前に、一〇万円を一律支給するという政策に理論的なバックボーンがないと言ったが、この支給金の性格があいまいでよく分からないと思っている人が多いだろう。つまり失業手当でもなく生活保護でもないのだが、ベーシック・インカムだと言えばすっきりと説明がつく。

そして第二に、一〇万円の一律支給の財源を求める方法が、ベーシック・インカムの財源を求めるプロセスに似ている。つまり、財源という観点に立てば、この度の政策は、ベーシック・インカムに合流せざるを得ないのである。

こうしてみると、新型コロナウイルス禍が長引けば、投げ出して棄民政策に走らない限り、政府は、なし崩し的にベーシック・インカムに近い政策を取らざるを得ないということになるのではないだろうか。

例えば、この原稿を書いている二〇二〇年四月二二日現在でも、休業した飲食店に営業補償しようとか、賃借人に家賃補償しようとかという案が出てきている。そうすると、その補償の根拠が求められることになるだろう。それならば、ここできちんとベーシック・インカムを考察しておく必要がある、と私は思っている。

この度の全国民に一人当たり一〇万円を一律支給するという政策は、細い針でほんの一刺しの穴を開けただけのことかもしれないが、この国ではじめて採用した政策であり、それがどんな意味を持っているかについては、十分に検討する価値がある。

私は、このベーシック・インカムが、ガリ教授の言う「第三の道」に入る鍵ではないかと思っているので、その鍵で扉を開けて中に入ってみよう。

2 ベーシック・インカムのメリットとデメリット

ベーシック・インカムについては、賛否両論がある。

ベーシック・インカムに関する書籍は山ほどあり、インターネットで調べればゾロリと解説や意見が出てくるので、詳しくはそのようなものに目を通していただきたい。

私がここで述べることは、新型コロナウイルス禍と関連する基本的な事項であるが、べーシック・インカムに関する諸説は、そのメリットとデメリットをめぐって繰り広げられるので、そのメリットとデメリットをはじめに箇条書き的に掲げておきたい。

ベーシック・インカムのメリットとして言われているのは、貧困対策、少子化対策、地域活性化、社会保障制度の簡素化、行政コストの削減、労働意欲の向上、景気の上昇、余暇の充実、経済活動の活性化、学生や研究者の安心など。

これに対して、デメリットとしてあげられているのは、賃下げへの不安、財政の不安、財源の困難性、労働意欲の低下、景気の下降など。

ここまでくると、「オヤッ」と思われる人も多いだろう。同じ項目でも、メリットにあげる説もあれば、正反対にデメリットにあげる説もある。例えば、ベーシック・インカムを導入すれば、景気が上昇するという説もあれば、逆に景気が下降するという説もある。また、労働意欲が向上するという説もあれば、逆に労働意欲が低下するという説もある。興味深いのは、生活苦がなくなるから万引きなどの窃盗犯が少なくなるというメリットをあげる説もあれば、刑務所から出てきても生活ができるから刑罰の抑止効果がなくなり犯罪が増加するというデメリットをあげる説もある。

これら諸説の大半は、頭の中で論理的に出てきたものであるが、フィンランドやオランダなどの実験によって、いずれ経験的に分かってくることが多くなるだろう。

ここでは、メリットとデメリットをめぐる諸説を箇条書き的にあげただけだが、それぞれには内容の深い考察がある。よって、ひとつ一つ自分で考えてみるとなかなかよい頭の体操になる。

3　ベーシック・インカムに対する抵抗感の排除

ベーシック・インカムを考察するにあたって、最初にしなければならないことは、ベーシック・インカムに対する心理的な抵抗感を排除することである。

これをはじめて聞いて、「えー、そんなの有り⁉」と思うのは、働きもしないで天から降ってくるようなお金を受け取るのは、あまりにも虫がよいと思うからではないだろうか。

では、ほんとうに虫がよいのだろうか。

人間は、そういうお金を受け取ってはならない動物なのだろうか。

それはそうでもないだろう。

地球上にホモ・サピエンスが出現したのは二〇万年前と言われているが、農耕や牧畜がはじまった一万年前までの間は、ずっと狩猟採集時代で、ヒトは自然の中にあったものを、タダで、ときには力を合わせて獲得していた。狩猟によって獲得した獲物をインカムというのには若干違和感があるが、得られる獲物というインカムを平等に分け合った。つまり、ベーシック・インカムは保障されていたのである。

しかし、そういうことが見えにくくなったのは、農耕牧畜がはじまった以降の社会制度、つまりシステムであって、私たちは、農耕牧畜以降のシステムしか見ていないので、ベーシック・インカムのことを久しく忘れていたのである。

そして、ヒトが農耕を知り、牧畜をし、土地を囲い込み、工場を作り、生産手段を特定の人間が独占するようになった。つまり、糧を得る手段に近い人間と遠い人間に分離されて、偏りが出てきて格差が広がった。さらに、労働力がいらない分野が大きくなり、労働の価値の低下が顕著になって、糧を得る手がかりさえない人間が、だんだん多くなってきた。

新型コロナウイルス禍の前から、人工知能やロボットの開発などによって、このような趨勢は見えていたが、新型コロナウイルス禍は、この時代の趨勢に拍車をかけ、人々の目にはっきり見えるよう可視化した。

こうして、多くの人が絶対的貧困の恐怖におびえるところにまできてしまった。

こうなると、ベーシック・インカムのもともとの基本に立ち帰って、堂々とお金を受け取ってよいということになるのではないだろうか。

ベーシック・インカムに対する心理的抵抗感がなくなったら、先に進もう。

4　ベーシック・インカムと労働との関係

新型コロナウイルス禍が労働力に及ぼした影響については前に述べたが、ここで、労働力に立ち戻って、ベーシック・インカムと労働との関係を考えておきたい。

労働が価値を生み、労働が商品の価値を決めるという労働価値説は、アダム・スミスからカール・マルクスの剰余価値説まで、いやそれ以降も支持されていたが、限界効用理論などが出てきて、今や労働価値説は少数派になっている。しかし、経済学上の議論はともかくとして、資本主義社会の富の端緒的な形態は商品であって、資本制経済は商品交換で成り立っていることは確かである。では、その商品はといえば、原材料に労働力を投入して機械を稼働することによって生産されるものであって、労働力もまた商品であり、労働者はその労働力を資本家に売って生計を立てている。この行動は、確かに実感としては、そのとおりだと思われていた。

つまり、働いて稼いで暮すということがヒトの生き方の基本的なパターンだったのだが、新型コロナウイルス禍によって、働いて稼ぐということがおぼつかなくなってきた。

では、「働く」とか「労働」というものは、いったい何なのだろうか。「働く」ということと「労働」という言葉とは、使い分けしなければならないのではないだろうか。

確かに、「労働」の「労」は、激しい仕事と疲れ、つらい仕事をやり遂げた苦労という意味がある。したがって、歴史的に見れば、奴隷に労働をさせる、強制労働をさせる、領主が農奴に労働させる、雇用者が被用者を搾取するというような事実が延々と続いている。しかし、ベーシック・インカムを導入すれば、こういう労働の暗黒面からは解放される。

とくに資本制社会になると、経済は商品交換によって成り立っているから、労働力は貨幣と交換される。それは、生活のために労働力を売ることが必ずしも必要ではなくなる。ベーシック・インカムが導入されれば、生活のために貨幣と交換するのだが、ベーシック・インカムが資本主義の根底を揺さぶることになる。ということは、ベーシック・インカムが資本主義の根底を揺さぶることになる。

一方、「働く」という観点から考えると、いったい人間は働かなくても生きてゆけるのだろうか、という問題がでてくる。ベーシック・インカムが導入されれば、働かなくても生活はできる。そのとき、人はどうやって生きてゆくのだろうか。つまり、八〇年から一〇〇年という長い人生において、働いて稼ぐということがなくなってしまってどのように生きてゆくのだろうか。

ヒトが労働から解放されて、働いて稼いで暮すという生活の様式がなくなるときに、では、どのような生活様式になるのか、このことは、働かないで暮す有産階級やリタイアした高齢層ではこれまでもあったことだが、これが社会全体として普遍的な生活様式になったとき、ヒトはそれに満足するのだろうか。あるいは耐えられるのだろうか。

それは「働く」ことが人間の本能なのかどうかということに関わっていると思う。働くことが遺伝子に組み込まれているのか、あるいはヒトの脳の仕組みになっているのか。「働く」という文字は、人偏に動くと書くように、ヒトは肉体的に身体を動かしたり、脳を動かしたりしなければ、身体や脳が衰えることは確かだろう。

そのことと関連があると思うが、働いて稼ぐということが、人間の生き甲斐になっている。だから働かなければ満足できないし、それが進むと耐えられなくなる。

ベーシック・インカムは、「働く」ということと「稼ぐ」ということを分離させることになる。しかし、稼がなくても、つまり実入りがなくても、働くだけで満足することもあるし、耐えられることはあり得るだろう。

ということは、ベーシック・インカムが導入されれば、稼がなくても暮すことができるのだから、ボランティアをすればよいということになるのかもしれない。しかし、ベーシック・インカムを導入しても、働いて稼ぐことは否定しないのだから、働いて稼いでもよいし、ボランティア活動をしてもよいということになる。あるいは、ベーシック・インカムが導入されれば稼がなければならないために使っていた時間が余るから、芸術や創作活動をすればよい、あるいは科学研究に時間を使えばよいという言説もある。これも「働く」ことの範疇に入ることだが、しかし、そういうものに関心がない人も多いだろう。

はっきりしていることは、労働によって価値が生まれるとしていた人類の歴史が、労働の意味が変わると、「価値」の意味も変質するということである。つまり、価値は「働く」こと自体にあり、必ずしも貨幣によって表現されるものではなくなるということである。

したがって、ベーシック・インカムは、労働が商品の価値を生むとされてきた労働価値説や歴史的事実を変革してしまうことになるのではないだろうか。

では、労働が価値を生むのでなければ、価値の源泉はどこにあるのだろうか。

私は、人間の存在自体が価値の源泉だとしなければ、説明がつかないと思っている。前に私は、今回の一〇万円は、人の労働力に価値をつけて、その価値に対して支給されるものではなく、人がそこにいるから支給されるものであって、存在すること自体に価値があるからその価値に対して支給されるのである、と言ったが、ここでその意味がはっきりしたと思う。

ベーシック・インカムを導入するときに、外国人にも支給するべきかどうかという問題は、論者の間でも意見が分かれているが、この度の一〇万円一律支給は、外国人にも適用されることになっている。この措置は、ベーシック・インカムの根拠は存在自体に価値があるからだと説明することによって正当化される。もとより私は、外国人にも支給されることには、賛成である。

5　ベーシック・インカムの財源

ここで重要な問題として浮かびあがってくることは、ベーシック・インカムの財源をどこに求めるかという問題である。

ベーシック・インカムについての理解が深まったとしても、財源がなくては躓《つまず》いてしまう。

ベーシック・インカムは、老若男女を問わず、一定額を定期的に、人間が生きてゆくために必要な最低限度の費用を保障するということであるから、これを実際に予算によって組み込もうとすると、国によって異なるが、たいていは税収をはるかにオーバーしてしまう。

それをカヴァーするために増税をしようとしても、人々の抵抗にあってなかなかできるものではない。また、歳出を削減しようとしても、財政が硬直化しているので、容易にできるものではない。ここで、多くの論者は匙《さじ》を投げて、ベーシック・インカム導入反対論にまわってしまうのである。

財源がないから無理だ、これがベーシック・インカムに対するあらかたの見解の結論だといってよいだろう。

ここで、ベーシック・インカム導入を諦めない論者は、国債を発行して財源にすればよいと言う。しかし、国債発行にも限界があることは、前に述べた通りである。

では、ここですっかり諦めてよいのだろうか。

前にも述べたが、もう一つあるとすれば、国が貨幣を発行する方法である。

このことをもう少し深く考えてみよう。

その代表的な意見は、通貨発行益を財源にすればよいというものである。通貨発行益とは、政府や中央銀行が発行する通貨の額面からその製造コストを差し引いた発行利益のことだが、英語ではシニョリッジという。その語源は古フランス語で中世の封建領主を意味するシニョールで、シニョリッジとは領主が持つさまざまな特権を指していた。言葉の問題はともかくとして、ここで重要なポイントは、政府がこの特権を握っているということである。例えば、一万円札の製造コストは二五円に過ぎないから、差し引き九九七五円が通貨発行益になるわけだが、この九九七五円の通貨発行益をベーシック・インカムの財源にすれば、増税や予算の削減などを心配する必要はないということになる。

これはいかにも都合のよい話である。

はじめてそれを聞くと、誰でも「エー、そんなの有り⁉」と思うが、よくよく冷静に考えてみればあり得ることだと気づく。ただ製造コストなどと言うから誤解が生じる。通貨をつくるときには僅かな製造コストがかかることが事実だが、金の含有率の高い金貨ならばともかくとして、印刷された紙幣やら電磁的な記号の電子マネーなら、通貨の額面に比べれば製造コストなどはごく僅かなものである。したがって、製造コストなどと言うから通貨発行益はおかしな理屈だと思われてしまう。ここは端的に、政府なり共同体なりが発行する通貨と言ってしまって、その政府が発行する通貨をばら撒《ま》けばいいという発想が出てくるのである。これをヘリコプターマネーというのだが、あたかもヘリコプターから現金をばら撒くように、政府が対価をとらずに大量の通貨を市中に供給する。[15] ヘリコプターマネーと言うといかにも印象が強烈で誤解を招いてよくないが、政府が無償で通貨を給付する政策は、ときどき採用されているのである。これをベーシック・インカムにあてはめれば、国が発行する貨幣を全員に給付するということにすれば、財源の問題はあっという間に片づくことになる。

この論は、極めて刺激的であり、それ故に抵抗感を覚える人が多いだろう。抵抗感を覚えるだけでなく、そんな考えはそもそも問題にならないと肘を振り払う人も多いと思う。

しかし、この度の一〇万円の一律支給という政策は、この論に極めて近いのである。なぜならば、今回の政策の財源は全部国債の発行でまかなうものであり、その国債の多くの部分を結局は日銀が買い受けるからである。もっとも財政法は日銀による直接引き受け(財政ファイナンス)を禁じているが、日銀は二〇二〇年四月二七日の金融政策決定会合で国債無制限購入を決定したので、国債の発行は財政ファイナンスに非常に近い状態に陥っているのである。すなわち、政府が貨幣を発行することと、政府が国債を発行して日銀が市中で国債を購入することとは、実質的には同じである。もし、新型コロナウイルス禍が長引いて、補償政策を続けるのであれば、国債を発行し続けなければならず、そうすると、通貨の発行によって財源とするという施策に限りなく近づくことになる。

しかし、この政策には問題がある。

すぐに思い当ることは、政府が貨幣を発行し続ければ、インフレーションが起こるという懸念である。

第一次世界大戦後のドイツで起こったような急激なインフレーション、つまりハイパー・インフレーションが起こったら大騒動になる。

しかし、それよりももっと本質的なことを考えておかなければならない。

私が言いたいのは、この政策を採用するのならば、問題点の所在と内容を認識し、しっかりと手当てをする必要があるということである。

この度の一〇万円の一律支給という政策は、どうもこちらの方向に流れているようである。だからこそ、なおさら問題点を掌握し考察しておきたいと思うのである。

そこでまず、「通貨」を手がかりにして考えてみよう。

6　通貨の信認

通貨というのは、世間で通用しているお金のことである。

人類は、金本位制を採っていた歴史を持っているから、お金という言葉が象徴しているように、通貨と言えば金貨だというイメージがかなり長く続いていた。しかし、一九七一年八月に金《きん》と米ドルの兌換《だかん》が停止され、以来お金と金は関係がなくなったので、通貨は、本来の姿をあらわした。それまでは、通貨は金と交換できるものだったので、通貨イコール金だったが、金と交換できるものでなくなったら、いったい通貨とは何なのだろうか。

それは、通貨が通貨であるのは、それが通貨であるからである。つまり、通貨が通貨としての役割をはたすためには、それに対する社会的な労働の投入や主観的な欲望というような実体的な根拠は何も必要でない(16)。

ただこれは、いろいろな弊害ももたらした。民間銀行が信用を梃子にしてお金を創造したり、マネーゲームが横行して架空の取引をさかんにしたりして、実体経済はもはや崩壊しつつあると言ってよいだろう。そして、格差が広がり、社会全体に亀裂が入ってきた。

しかし、それでも通貨は通貨として生き残っている。通貨として社会的な信認を受けていれば、それだけで通貨としての機能をはたしていることになっている。

問題は、その信認である。信認とは、信頼して認めるという意味だから、通貨を発行し続けても、信認を得続けることができるかである。

ここから先は奥が深い。だいいち信認すると言っても、何を信頼するのだろうか。何を信じるのだろうか。通貨を受け取る、通貨を持っているということは、これから先も通貨が通貨であると信じていなければ、そんなことはできない。お札が通貨でなくなれば、絵と字が書いてあるだけの紙切れになってしまうし、電磁的に書きこまれた電子マネーは単なる数字だけになってしまう。つまり人々がこれからもずっと通貨であり続けると信じるから、通貨は通貨であり続けることができるわけである。だから、通用している通貨が未来永劫に通貨であり続けるためには、それだけの手当てが必要なのである。

通貨を通貨として通用させるために、国は手を拱いて何もしないわけではない。国は、その国の通貨を通貨として通用させるために手を打っている。この手にはさまざまなものがあるが、ここで見逃せないのは、米国の場合は基軸通貨のドルを支えている軍事力ではないだろうか。

国の通貨を通用させているのが軍事力だと言えば、極端すぎて分かりにくいかもしれないが、国の通貨の流通を保証しているのがその国の国力だと言えば理解できるだろう。つまり、その国の国力が担保になっているわけだが、国力を測る目安は、経済力もあれば政治力もあれば文化力もあれば民度もあり、その総合を国力と言ってよいと思う。通貨の流通に絞ってみれば、その中で最も端的で露骨なのが軍事力であろう。

ここから先はあまりにも刺激が強いのでこの辺で止めておくが、要するに、一〇万円の一律支給という政策をし続けるのだとすれば、通貨の信認が続くような手当てをする必要がある。

7　ベーシック・インカムが変化させる経済と社会のシステム

国の通貨を通用させているのは軍事力だと言えば、軍事力の増強を主張しているように聞こえるかもしれないがそうではない。通貨の信認を得るために軍事力を増強すれば、そこに多くの予算を投入しなければならず、そうなったらベーシック・インカムを導入することなどはおぼつかなくなるだろう。

前に述べたように、国の通貨の流通を保証しているのがその国の国力であり、国力を測る目安は、経済力や政治力や文化力や民度などであるから、総力をあげて国力を上昇させたいところである。新型コロナウイルス禍が終息したときには、さっそくこれにとりかかる必要があり、新型コロナウイルス禍の渦中にある今からでも、その構想を練っておく必要があると私は思っている。

そのときに留意しておきたいことは、これまでの経済システムや社会システムにこだわらないということである。

このベーシック・インカムが導入されれば、経済システムや社会システムに大幅な変更が迫られる現象が起こってくるだろう。なぜならば、このベーシック・インカムは、これまでの経済システムや社会システムと相容れない部分があるからである。

例えば、国内であっても海外取引であっても、このシステムはマネーゲームと相容れない。したがって、外国為替取引は、実体経済の裏づけがある実需原則を厳守することが必要になる。これは変動為替制に移行する前のルールであったが、外国為替の予約取引には、輸出や輸入などの実体経済の裏づけを証明することを義務づけることになる。したがって、単なる貨幣の売買は認めないから、貨幣の投機取引はできなくなる。ベーシック・インカムを導入するほどの信認という裏づけが必要なのだから、実体のない通貨の流通は認められない。ついでに言えば、民間銀行による信用創造は禁止される。つまり、部分準備制度を廃止して一〇〇パーセント準備制度にすることが望まれる。また、金融商品の投機的取引も先物取引も禁止ということになるだろう。政府だけが通貨を発行することができるというのが、信認のキモである。国が発行する通貨そのものがベーシック・インカムの財源である以上、これは当然のこととされるだろう。したがって、銀行業務、証券業務は大幅に縮小することになる。

これは、非常に刺激的で抵抗を受けかねない施策であるが、信用の膨張が経済を揺るがし、貧富の格差を広げ、ひいては資本主義を危殆に陥らせていることを考慮すれば、むしろ望ましいと考える人も多いのではないだろうか。

これまでの経済システムや社会システムにこだわらないというだけでなく、新しいシステムを導入することも必要であると思う。

その具体的な方法はいろいろあると思うが、例えば、前に述べたように、所有権が揺らいでいることに対応するために、共同所有や共同利用の方法を取り入れることが考えられる。これはすでにシェアハウスなどで実践されていることであるが、入会権のように共同体全体に広げて導入することを構想することはできないだろうか。

入会権(17)というのは、村落共同体あるいはこれに準ずる共同体が慣習に基づいて山林や原野や漁場などを共同で所有して、それを管理し、収益する権利であって、総有と言われる所有形態である。これは共有とは違って各構成員は分割請求ができない。その慣習にはさまざまなものがあるが、分割請求できないとか、入会集団というべき共同体は独立で平等な構成員で構成されるとか、構成員全員の合意がなければ入会権の対象となっている財産を処分できないとか、そういう重要な部分についての慣習は共通している。

入会権の対象となっている財産は、村落共同体が全体として、しかも個々の構成員が同時に所有するということになっているから、個と全体は一体であって、個と全体は分離されていない。これならば、各個人が幸福であれば、ということは、各構成員は平等であるから、一人が幸福ならば全員が等しく幸福であることになる。

これは、独立した個人、すなわち法的主体性が私的所有するというものと異なるので、資本主義の基本的な在り方から一歩踏み出すものである。

入会権は一例であるが、ベーシック・インカムを導入するのであれば、要するに、よい社会をつくることがその条件だということである。

8　共存主義への道

よい社会などと言うことは、はなはだ抽象的であまり感心した表現でないことは自覚しているつもりであるが、すでに、一〇万円の一律支給という政策で、国債を発行することに踏み切ってしまったのである。

こうなってしまったら、よい社会をつくらなければ、あとが持たない。これまでのひびが入っている資本主義では、貨幣を発行することさえできなくなると思う。

よい社会に関して言えば、ベーシック・インカムは、格差社会を改めて平等な社会をつくろうということを目指しているのである。社会主義でもない平等な社会、これは、ガリ教授の言う「第三の道」ではないだろうか。

そのことはとりもなおさず、資本主義に代わる次の時代をつくることができるかどうかというところに繋がっている。

私は前に、ベーシック・インカムが、ガリ教授の言う「第三の道」に入る鍵ではないかと言ったが、その鍵で扉を開けた先に何が見えてくるのだろうか。

それは労働や貨幣の桎梏《しっこく》から解放された自由な人々がつくる共存主義(18)の世界ではないかと、私は考えている。

私は、地球上で七六億人の人々が生活しさまざまな仕組みをつくって共存している事実に着目して、これからもうまく共存して生きてゆこうではないかというパラダイム（あるる時代のものの見方、考え方を根本的に規定する認識の枠組み）を「共存主義」と呼んでいるが、この共存主義という言葉には、単に認識だけでなく、経済の仕組みや社会の仕組みを「共存」という価値観から構築することを含めることにしている。

このように共存主義を定義すると、新型コロナウイルス禍のずっと前から、人々は、共存主義を取り入れていることが分かる。

その例はたくさんあるが、世界規模の例では、二〇一五年に開催された国連気候変動枠組条約締約国会議（COP21）で採択されたパリ協定があげられる。

そして今、二〇二〇年四月末の時点では、新型コロナウイルス禍の渦中にあって、困窮に陥った人々や、閉鎖や倒産に追い込まれている事業を放っておいてもよいという声は聞こえてこない。みんなそういう人々や事業を救済すべきだと考えているし、国が補助金を出すべきだと思っている。そして、為政者もそのように動いている。

これは資本主義ならば手が出せないことであるが、共存主義ならばできる。その証拠に、「共存して生きてゆこう」という道をすでに歩み出しているではないか。

私は、何が何でもベーシック・インカムを導入すべきだと主張するわけではない。また、今すぐに共存主義に転換すべきだと主張しているのではない。しかし、新型コロナウイルス禍が長引けば、ベーシック・インカムは一つの選択肢としてあり得るし、共存主義にパラダイムシフトすることもあり得るのではないかと思っている。

そして、ベーシック・インカムは、新型コロナウイルス禍があってもなくても、検討するに値する政策だと考えている。また、ひと口にベーシック・インカムと言っても、いろいろなパターンがあり、いろいろな意見がある。ここに書いたことは、あくまでも私の考えの概略であって、言ってみれば、ひとつのたたき台に過ぎない。

もし、ベーシック・インカム導入の是非についての議論がはじまれば、侃々諤々の論争になるだろう。そして、その先に共存主義が見えてくるだろう。したがって、その議論は今からはじめても決して早すぎることはないと思う。

新型コロナウイルスの感染拡大が続いて、一〇万円の一律支給という政策に踏み切った以上、この議論がはじまっていないことは、むしろ遅すぎるというべきではないだろうか。

それは、大きな選択の問題である。しかし、今選択をしなければならないことは、ベーシック・インカム導入の是非だけではない。これからいくつかの問題をピックアップして、考えてみることにしたい。これらの問題について選択を誤らないことが、やがて「共存主義へという未来」に道を拓くことになるだろう。

第八章　自国ファーストか国際協調か

1　自国ファーストか国際協調かという選択肢

新型コロナウイルス禍が終息したあとには、世界がどのように動くのだろうか。新型コロナウイルス禍の渦中では、自国に閉じこもって、もっぱら新型コロナウイルスの拡大感染を抑えたり、治療に専念したり、経済活動を自粛したりせざるを得なかっただろうが、新型コロナウイルス禍が去って病魔から解放されたときには、自国に閉じこもる必要はなくなるはずである。

そのとき、世界の各国はどのような動きを示すのだろうか。

それは、その国々の被害状況やら国家間の相互関係やらその他もろもろの条件によって国によって相違があり、また、問題とすべき事柄によっても違いがあるので、ひとからげに論じることはできない。

とくに問題とすべき事柄も、政治もあれば、経済もあれば、文化もあれば、芸術もあれば、スポーツなどなどがあり、またそれらの相互関係もあるから、これも一概に述べることはできない。

しかし、世界のおおよその趨勢として、どのような方向に向かうのかということには誰しも関心を寄せるところだと思うので、ここに、経済面と政治面に的をしぼって考えてみたい。

方向についてもいろいろあり、なかなか複雑であるが、自国ファーストか国際協調かという二つの大きな方向に単純化して考察することにする。

ここで自国ファーストというのは、自国の利益を最優先にし、国際的な協調関係を控える主義である。これは、さかんにアメリカ・ファーストを叫ぶトランプ大統領を思い浮かべればよいことであって、非常に分かりやすい。

これに対して、国際協調というのは、自国の利益は多少の辛抱をしても国際的な協力関係を重んじるという主義である。

新型コロナウイルス禍が終息したあと、はたして世界は自国ファーストに向かうのか、国際協調に向かうのか、これは大いに気になるところではないだろうか。

2　経済面での選択と政治面での選択

新型コロナウイルスに襲われる前から、世界は、どちらかというと自国ファーストの方に動いていたと言ってよいだろう。その動向についてはいちいち述べることを控えるが、アメリカ・ファーストを政策の柱にしたトランプが大統領に当選したことの影響が大きいだろう。アメリカが自国第一主義をとると他国もそのような方向に向かってゆく。ヨーロッパ諸国で移民を制限し、自国の利益を守ろうという動きは、自国ファーストが普遍化している証拠ではないかと思う。

そういう趨勢が見られるとき、新型コロナウイルス禍という危機に襲われれば、いっそう自国ファーストに向かってゆくことは、可能性として十分にあり得ることである。

しかし、これは政治面のことであって、経済面では自国ファーストを貫くことは難しいだろう。

新型コロナウイルス禍によって、世界中の工場が止まり、市場が閉鎖してしまったとは言えないまでも、工場や市場が相当危ういところまで追い込まれていることは確かだろう。しかし、経済面では自国ファーストではやってゆくことができない。

例えば、中国で部品を生産して日本で機械を組み立てる生産プロセスでは、中国と日本との国際協調は欠かせない条件になる。

政治面で自国ファーストを唱えても、経済面ではそうはゆかない。そのことは、新型コロナウイルス禍の前であっても、新型コロナウイルス禍の後であっても、同じである。このことは、可能性としては非常に高いと思う。

だとすれば、これから先は、政治面で自国ファーストをとるか、それとも国際協調をとるか、その選択の問題である。

3　囚人のジレンマゲーム

では、その選択を誤らないためには、どのような方法をとればよいのだろうか。

ここで、「協調」と「裏切り」という、人間の二つの行動パターンを使って解明してみよう。

自国ファーストは、自国の利益のためには相手を裏切ってもよいという主義であるから、行動パターンとしては「裏切り」ということになる。

国際協調は、言葉の通り「協調」という行動パターンである。

これから述べることは、個人の行動パターンであるが、それをそのまま国の行動パターンに置き換えることができる。

ここで使用するのは、ゲーム理論の中の反復囚人のジレンマゲームというモデルである。反復囚人のジレンマゲームを説明するためには、まず囚人のジレンマゲームから説明しなければならない。そこでまず、囚人のジレンマゲームを説明しよう[19]。

二人の囚人XとYが、互いに相手方が何を言っているか知らされていないで牢屋につながれているとする。XがYを裏切って「Yこそ犯人だ」と言い、YがXに協調して「Xが犯人だ」と言わないとすれば、Xが無罪になり、Yが重い有罪になる。この場合、Xに五点、Yに〇点を与える。同様に、Xが協調しYが裏切るとすれば、Xが重い有罪になり、

		Yの選択	
		協調	裏切り
Xの選択	協調	X＝3 Y＝3	X＝0 Y＝5
	裏切り	X＝5 Y＝0	X＝1 Y＝1

Yが無罪になって、Xが〇点、Yが五点になる。双方とも互いに相手方が犯人だと言えば、双方が有罪になるが、罪は一人で犯行に及んだ場合と比べて少し軽くなり、XもYも一点となる。しかし、双方が協調して何も言わないとすれば、双方とも有罪になるが、罪は相当軽くなって、XにもYにも三点が与えられる。

　囚人のジレンマゲームは以上のように設定するが、これを整理したのが上のような表である。

すなわち、囚人Xと囚人Yの二人のプレイヤーがいて、それぞれが「協調」と「裏切り」という選択肢をとることができる。Xの選択肢を縦にとり、Yの選択肢を横にとったのがこの表である。XとYは、互いに相手方がとる行動を知らないときに、自分の行動を選択しなければならない。そのとき、XとYは、協調と裏切りのどちらの行動をとるだろうか。

　囚人は、自分が相手方を裏切って相手方が自分を裏切らなければ最高の点数を稼げるが、双方とも裏切ればひどいことになる。そして、双方が協調すればまずまずの結果になるが、自分が協調して相手方に裏切られると最もひどい結果になるから、うっかり協調できない。だから、結局のところ、双方が裏切り合って、双方とも有罪、点数は一点になってしまう。

これが囚人のジレンマである。

囚人のジレンマは、単純かつ抽象的ではある。しかし、双方が協調し合えばまだよかったものの、それぞれが最もひどいことになるのを恐れるために、裏切り合いになってしまう一般的で興味深い事態を定式化している。

このことで、何か思い当たることはないだろうか。

新型コロナウイルス禍の前の米国と中国は、まさしくこの囚人のジレンマゲームにいそしんでいたのではないだろうか。米国と中国が双方とも裏切り合って、一点ずつしか得点を稼げなかった最中に、新型コロナウイルスに襲われたということになるのだという見方ができるのではないだろうか。

新型コロナウイルス禍が終息してもなお、米国と中国は、裏切り合って、得点を稼げないのだろうか。それとも、双方が協調して、双方とも三点を稼ぐ選択をするのだろうか。

４　共有地の悲劇というゲーム理論

囚人のジレンマゲームは、プレイヤーが二人であるから、自国ファーストか国際協調かという選択に当てはめれば、二国間の問題にしか使えないモデルだと思われてしまうかもしれない。

しかし、囚人のジレンマゲームは、三人以上のプレイヤーにも応用ができることは、容易に思いつくだろう。

囚人のジレンマゲームを三人以上に拡張したゲームに共有地の悲劇というゲーム理論がある。

数軒の農家が山の中に共同で土地を持っているとする。その共有地には牧草がよく茂っていて、そこでは自由に放牧できる。各農家は、先を争って自分の牛を放牧し、自分の利益の最大をはかる限り、牛の数を増やし続けることになる。しかし、放牧には限りがあり、やがて牧草は枯渇し、共有地の荒廃という悲劇のみが残る。[20]

この共有地の悲劇は、非協調が招く不利益や危険性に警告を発し、非協調から協調に切り替えるときの利益を示唆している。

自国ファーストか国際協調かの選択は、非協調が招く不利益や危険性を選ぶか、それともその不利益や危険性を回避するために協調を選ぶかの選択の問題である。しかし、共有地の悲劇は、協調すれば利益になることが分かっていても、自分の牛の数を増やさなければひどいことになるので牛を増やし続け、結局共有地を荒廃させてしまう選択をするというジレンマを示している。

新型コロナウイルス禍が終息したあと、各国が共有地の悲劇の罠にはまって、先を争って自国ファーストに走る選択をするのだろうか。

新型コロナウイルス禍は、世界全体を覆っている災難である。この災難が去った後に、各国には大なり小なりの困難が待ち受けているだろう。そのときには、ともすれば裏切りのカードを切り、地球全体が共有地の悲劇のような荒廃に陥る危険性がないとは言えないと思う。

5　反復囚人のジレンマゲームからの学び

ここで、反復囚人のジレンマゲームの登場である。[21]

二人のエゴイストが囚人のジレンマゲームを一回だけ行い、双方が裏切りを選んだときには、両者が協調し合ったときよりも損になるが、相手方に裏切られると最もひどいことになるので、結局裏切り合って協調関係は引き出せない。もしこのゲームが決まった回数だけ繰り返され、その回数をプレイヤーが知っているとしても、協調関係が引き出せないことに変わりはない。なぜならば、最終回では、もはや後々のことを考えて行動する必要がないので、裏切り合うという結論が成り立つからである。その前の回でも、最終回で相手方が裏切るのを見越しているために、どちらも協調しようとはしない。この論法でいくと、その前の回も、そのまた前の回も裏切り合うことになり、どんなに長くても有限回であれば、たどってゆくと最初の回まで戻ってしまう。

しかし、この論法は、回数が決まっていないときには使えない。実際の人のつき合いでは、当事者どうしが相手方と何回つき合うかを知らない場合がほとんどだろう。

そこで、囚人のジレンマゲームを回数を知らせずに反復して行う、反復囚人のジレンマゲームをすれば、どのようになるだろうか。アクセルロッドは、対戦の回数を知らせないという条件を設定したうえで、囚人のジレンマゲームを反復して行うコンピュータ選手権を開き、ゲーム理論の専門家を競技参加者として招待した。

心理学、経済学、政治学、数学および社会学の五つの分野から参加した一四名は、それぞれのコンピュータ・プログラムに基づいて対戦した。その結果、トロント大学のアナトール・ラポポート教授が応募した「しっぺ返し」戦略が、この選手権で優勝した。「しっぺ返し」戦略は、最初は協調行為をとる。その後は相手方が前の回にとったのと同じ行為を選ぶ。この決定方法は分かりやすく、プログラムをつくるのも簡単である。そして、人間どうしのつき合いにおいて、かなり多くの場合に協調関係を引き出すものとして知られている。コンピュータ選手権の参加者として、「しっぺ返し」戦略は、相手方からあまり搾取されず、また、「しっぺ返し」どうしがつき合ってもうまくゆくという望ましい性質を持っている。

このコンピュータ選手権で高得点をあげた参加者と低い得点を比べると、たった一つの性質が運命の分かれ道になっていた。それは、「上品さ」、すなわち自分からは決して裏切らないという性質である。成績上位の参加プログラムはみな上品だった。上品なプログラムどうしの試合では、ゲームの終盤まで互いに協調し続けたから、互いに三点が続き、高得点になったのは当然ある。この選手権の一番の教訓は、互いに泥仕合に陥る事態を極力避けることの重要性である。たった一度の裏切りがはてしない報復の応酬につながるなら、損をするのはお互い様だ。

アクセルロッドは、さらに第二回選手権を開催した。この選手権には、六か国から六二名が参加した。

「しっぺ返し」は一回目の参加者中プログラムが最も簡単だったが、その覇者になった。さらに、二回目の参加者中でも最も簡単であり、しかも再び勝利した。全参加者が、前回「しっぺ返し」が勝利を収めたことを知っていながら、誰一人としてそれを凌ぐ作品をつくれなかったのである。

この第二回選手権では、全部で一〇〇万回を超える対戦が行われた。その結果、第二回大会でも、上品なプログラムが得をしていた。逆に、自分の側から裏切る者は、たいてい大損してしまった。

「しっぺ返し」は、それぞれの対戦では負けるか引き分けになる。これは、点数を入れてみれば分かることである。仮に、「しっぺ返し」が常に裏切る「全面裏切り」と一〇回対戦したとすると、最初は「しっぺ返し」が協調で「全面裏切り」が裏切りだから、「しっぺ返し」は〇点、「全面裏切り」は五点である。二度目からは、双方とも裏切りが続くので、それぞれ一点の連続になる。これが九回あるから、一〇回の対戦の合計は、「しっぺ返し」が九点、「全面裏切り」が一四点で、「しっぺ返し」の負けになる。

しかし、仮に「しっぺ返し」どうしが一〇回対戦したとしたらどうだろうか。双方とも協調のカードを切るので、最初から一〇回目まで三点が続き、合計すると双方とも三〇点で引き分けになる。

このように、「しっぺ返し」は、それぞれの対戦では負けるか引き分けになるが、ゲームが反復して長く続くと、最終的には覇者となる。アクセルロッドは、この「しっぺ返し」の強さの秘訣を分析して、「しっぺ返し」が次のような三つの条件を根拠に、相手方から搾取されない結果として、利益を享受しているのだと言っている。
（ア）「しっぺ返し」をとる相手方と出会う可能性は、世間にいくらでもある。
（イ）一度出会えば、すぐに相手方が「しっぺ返し」かどうか見分けられる。
（ウ）一度見分けがついたら、「しっぺ返し」からは搾取できないことはすぐ相手方に分かってもらえる。
「しっぺ返し」が成功した要因は、自分の方から裏切りはじめることはなく、相手方の裏切りには即座に報復し、心が広く、相手方に分かりやすい行動をとったからである。ここで、心が広いという意味は、相手方が裏切った後でも再び協調する性質で、報復は一回きりで過去のことは水に流してしまうことである。そして、上品にしていれば無用なトラブルを避けることができ、即座の報復は相手方に対して裏切りたいという誘惑を断ち切らせ、心の広さは強調し合う関係を回復するのに役立つ。さらに、態度の分かりよさによって、相手方が自分を理解してくれて、長い協調関係をもたらすのである。

アクセルロッドは、次のように結論する。

協調関係の基本は信頼関係ではなく、関係の継続である。条件さえ整えば、試行錯誤を通じて相互に報酬を得られることを学んだり、他の者がうまくやっているのを真似したり、または、自然選択という機会的プロセスによってうまくやれない戦略が除去されたりして、プレイヤーどうしが互いに協調しあう関係を実現できる。互いに相手を信じようと信じまいと、長い目で見ればそれはあまり重要なことではなく、互いに強調しあう安定した関係をつくる条件が熟しているかどうかが問題なのである。[22]

いったん互恵主義がうまくゆくということが人々の間に広まると、それは実行に移される。（中略）互恵主義の価値は、自分だけが奇をてらって採用するときだけうまくいくというわけではなく、皆の間に広まれば広まるほど有効性を固めていく。[23]

6　ゲーム理論の成果を生かせるか

反復囚人のジレンマゲームの研究の成果は、新型コロナウイルス禍が終息した後で、各国が自国ファーストか国際協調かを選択するときに参考になるだろう。

世界各国が自分の方からは裏切りのカードを切らずに、相手方に得点を与えながら自分も得点を稼ぐことを選択するのか、それとも逆に、お互いに裏切り合って得点を減らし続けることを選択するのか、これは、じつに大きな問題だと思う。

新型コロナウイルスに襲われる前には、世界各国が裏切り合っている姿をさんざん見せつけられていた。新型コロナウイルス禍が終息した後でも、そのまま自国ファーストを叫んで他国を口汚く攻撃し、裏切り続けるのだろうか。そして、囚人のジレンマゲームが示唆しているとおり、プレイヤーは有罪となって断罪されるのだろうか。

もううんざりだと思っている人は多いのではないだろうか。

新型コロナウイルス禍が終息したときには、各国が「協調」のカードを選択して、国際協調が当たり前のような世界にしてほしいと思っている。

他国を攻撃しても、長い目で見れば得になることはない。他国から「しっぺ返し」を受けて、ひどい目にあうことは必定である。これは、囚人のジレンマゲームを持ち出すまでもなく、人類の歴史が証明していることである。

ここで重要なポイントは、協調関係の基本が「継続」だということである。

新型コロナウイルス禍が猛威を振るっても、地球上の国家があらかた消えてなくなってしまうことはないだろう。

ということは、国という存在は、そのままそっくり残り、「継続」は続くということである。したがって、相手国を叩き潰して消滅させない限り、どこかの部分で「継続」があるということである。そして、今どき、相手国を消滅させてしまうというところにまで争いが発展することは稀であろう。絶対にないとは言い切れず、現在でもそのような地域があることは事実であるが、それでもあらかたは「継続」は残る。

そのような「継続」という要因が残る限り、それを尊重して、国際協調の世界を実現することができるだろうか。

このことは、人類が何度も挑戦してきた課題である。第一次世界大戦後の国際連盟しかり、第二次世界大戦後の国際連合しかり。

世界中を襲い、世界大戦にも擬せられている新型コロナウイルス禍が終息したあとに、はたして国際協調を目指そうという風潮が湧きおこってくるだろうか。

第九章　独裁制か民主制か

1　独裁制か民主制かという選択肢

イスラエルの歴史学者ユヴァル・ノア・ハラリは、新聞記者の電話インタビューで、「新型コロナウイルスの感染拡大で、私たちはどのような課題に直面していると考えますか」という質問に答えて、「世界は政治の重大局面にあります。ウイルスの脅威に対応するには、さまざまな政治判断が求められるからです」としたうえで、「ある国はすべての権力を独裁者に与えるかもしれない。独裁者がすでにいる場合もあれば、新たな独裁者が生まれる場合もあります。一方で、別の国では民主的な制度を維持し、権力に対するチェックとバランスを維持するでしょう」と述べている（二〇二〇年四月一五日朝日新聞デジタル）。

独裁制か民主制か、これも新型コロナウイルス禍後の大きな選択肢になるだろう。なぜ、これが大きな選択肢になるのだろうか。

新型コロナウイルス禍によって、社会にも経済にも、今では予測がつかないような問題があちこちに起こる可能性が高く、その問題を解決するために、為政者がどのように権力を行使するかの決断が迫られるからである。

今ここで私は、為政者がと言ったが、それはまた国民がどのような為政者を選ぶかという問題と重なっている。

しかし、国民の意思と為政者の意思が必ずしもいつも一致するとは限らない。

国民が常に政治に関心を持ち、国民の意思が為政者の意思に反映される仕組みがあれば、国民の意思と為政者の意思の間の乖離が少ない。そのためには、国民の意思と為政者の意思が乖離しないようなシステムが必要である。民主制というのは、本来はそのような制度であるはずである。

世界中の国家を並べて見ると、ほとんどの国が民主制をとっている。建前の上では。しかし、民主制をとれば、国民の意思と為政者の意思の乖離が少なくなるかと言えばそうでもない。逆に、国民から熱烈な支持を受ける独裁制ということもある。そうすると、国民の政治的な関心がどこに向かっているかということがポイントになる。

しかし、そもそも国民は政治的な関心を持っているのだろうか。

新型コロナウイルス禍によって、国民の政治的な関心が高まっていることは確かだろうが、それがいつまでも続くのだろうか。

新型コロナウイルスに襲われる前のこの国の政治的関心度は低かったと言ってよいだろう。その指標の一つは、国会議員選挙における投票率であるが、新型コロナウイルス禍の直前の二〇一七年一〇月二二日の衆議院総選挙の投票率（小選挙区）は、五三・六八パーセントに過ぎなかった。したがって、独裁制か民主制かを考察する前提として、国民の政治的無関心を考察しておく必要があるだろう。

2　政治的無関心（アパシー）

無関心の英語はアパシー（Apathy）であるので、ここでは政治的無関心をアパシーという言葉で説明しよう。丸山眞男教授は、政治学の講義の「現代的アパシーの特徴と発生原因」という項目の中で、次のように語っている。

テクノロジーの発達は、権力中枢と個人の日常生活との距離を著しく縮めた反面において、大衆の権力に対するコントロール感覚は現代政治機構の複雑化と、その規模の国際的拡大によって、かえって減退した（日本のように伝統型無関心がなお根強いところでは、相乗作用として現れる）。デモクラシーの原理の一般的承認と普通選挙権その他大衆の政治的権利の法的保障により、〝人民の意思〟が政治的支配の正当性の根拠となり、天命とか世襲の伝統的権威とかの legitimacy〔正統性〕は流通性を著しく失ったにもかかわらず、かえってそのゆえに大衆の無力感が増大した。現代人は、もはやいかなる社会的階層の底辺にある者も風雪雷雨のような一種の自然現象とは見ず、人間がコントロールできることを知っている。しかも、ますます重大な政策決定がはるか上の、彼らの遠くおよばぬところで、彼等が見透しえない複雑なメカニズムを通して行われているという実感をもっている。指導者の演説や国会の模様はテレビで食卓にいる人々のすぐ目の前の映像になっている（映像の上で、日本の首相どころか、アメリカの大統領やソ連の首相が２、３尺の距離で語りかける）。それだけに、どうにもならぬという諦観とニヒリズムが人々をとらえる。政治を本当に無縁と信じられたらいい、そう信じ切れない、いかにも政治的冷淡をsophistication（注・高い教養）のしるしとしてほこっているように見える知識人も、実は内心では政治にたいする不安と焦燥にさいなまれている！　無関心はもはや自然なものではなく、それ自体とりつくろったポーズとなったのである。(24)

私がこの講義を聞いたのは一九六〇年のことであるから、「ソ連の首相」は「ロシアの大統領」の誤植ではない。それから六〇年を経た二〇二〇年、アパシーはポーズではなく、肉体の一部にまで亢進してしまったと私は思うが、それにしてもこの講義は何とみずみずしさを保っているのだろうか。

さて、新型コロナウイルスに襲われる前は、アパシーという病は膏肓《こうこう》に達していたとしても、新型コロナウイルスの感染拡大におののいている今となっては、政治的無関心を続けることはできない。感染者の数の増加やそれに対する政府や行政機関の対応は、自分に無縁なことではなく、まさしく自分の身に降りかかってくることとして、誰しもとらえているに違いない。

この政治的な関心度の高まりが、新型コロナウイルス禍が終息した後でも続くだろうか。その程度と方向とが、独裁制か民主制かの選択を決めるだろう。

そこで、政治的関心度がある程度高まることを前提として、話を続けることにする。

3 政党と為政者との関係

新型コロナウイルス禍後、人は独裁制か民主制かのどちらの選択をするのだろうか。

ここで、独裁制だ、民主制だと騒いでみても、その国々の置かれている状況や、国内の勢力分布や、国民の希求や、論者の党派的立場などによって相違があるから、考察の在り方としては適切ではないだろう。

そこで、独裁制か民主制かの選択と切っても切れない関係にある「政党」から考察を進めたいと思う。なぜならば、独裁制における独裁者にせよ民主制における代表者にせよ、みんな政党から輩出されるその国のトップだからである。

メルケルはキリスト教民主同盟から、ジョンソンは保守党から、トランプは共和党から、安倍晋三は自由民主党から、それぞれ出てきた人たちである。どこからが独裁者といってよいのかは説が分かれると思うが、プーチンは統一ロシアから、習近平は中国共産党から、金正恩は朝鮮労働党から、それぞれ出てきた人たちである。そして、ヒットラーが国家社会主義ドイツ労働者党（ナチス）の党首であったことを落とすわけにはゆかないだろう。ところで、トランプを独裁者の範疇に入れなくてよいのだろうか。それを考えてみると、独裁制と民主制との間の境界線をどこに引けばよいのか、というのはなかなか難しい問題だということが分かる。

したがって、独裁制か民主制かという選択をするときには、やはりその母体となっている「政党」を手がかりにするのがよいということになると思う。

4　政党のコミュニケーション機能

では、政党とは何であろうか。

辞書によれば、政党とは、政治上の主義・主張を同じくする者が、その主義・主張を実現するために組織する団体である。

ここで重要なことは、英語では政党をPartyということである。Partyの語源はPart（部分、一部）であるから、政党は、一部であって全部ではない。

前に並べたプーチン、習近平、金正恩、ヒットラーは、政党という部分から出てきた人たちであって、国という全体から出てきた人たちではない。すなわち、いかに独裁者と言われても、もとは部分から出てきたのである。

ということは、国の機能と政党の機能とは別ということになる。では、政党の機能は何なのだろうか。つまり、政党はどのような働きをするのだろうか。以下、丸山眞男教授の政治学講義に基づいて説明する。

政党の本質的機能は、全体としての政治的システムと社会との媒介装置である。この全体としての政治システムとは、とりあえず「国家」と頭に置いておけばよい。

そして、政党は、社会のメンバーの欲求、意思、情熱、利益、見解を政治システムに伝達し、また政治システムの政策や動向を社会に伝達する機能を持つ[25]。ここで社会のメンバーとは、「国民」と言ってもよいだろうが、問題によっては外国人も当事者になるので、国民と置き換えるのは、正確ではない。しかし、国民という方がイメージをつかみやすいと思うので、これからは主として「国民」という言葉を使うことにさせていただきたい。つまり、政党が国民と国家の間に入って、国民の欲求、意思、情熱、利益、見解を国家に伝え、国家の政策や動向を国民に伝達するコミュニケーション機能が政党の本質的な機能だということである。これは、当たり前のことを言っているようだが、深い意味を持っている。

政党が国民と国家の媒介者であることは、政党の日常的な活動のことを言っているのだが、選挙のときも同様である。選挙のときには、この機能が外に向かって大きく開かれ、有権者にアピールするような政策が強調される。

選挙態勢に入ると、国家と政党との関係は、日常の活動とは違ったものになる。選挙中の政党の公約は、政権を獲得した暁には採用すると言っている未来の政策だが、まだ実現するかどうか分からない。したがって、政党がその段階で国家に直接働きかけることはないだろう。もっとも、観測気球を飛ばすこともあるし、心理的準備をすることもあるだろうが。しかし、選挙の場合にも、いや選挙の場合だからこそ、政党の媒介者としての本質は、如何なく発揮される。なぜなら、有権者に向かっては、公約に掲げた政策を実行するからわが党の候補者、あるいはわが党に一票を投じて欲しいとアピールし、国家に向かっては、政権を取ったら公約に掲げた政策を実行するとアピールするからである。

5　間接民主制と政党の役割

政党は、単にコミュニケーション・チャンネルという点で国家と国民の媒介者であるだけでなく、社会の中に広く分散している潜在的な意思や利害などを顕在化し、しかもこれをできるだけ共通項にくくって、争点を単純化する。それによって、国民の政治的判断は無限の錯雑さから免れ、政策決定に対して判断を下すことが容易になる。

ここで、代表制について考えておきたいと思う。

日本では、間接代表制をとっているが、間接代表制に対しては、ルソーが「国民が自由であるのは投票日だけであり、それが過ぎれば奴隷である」と痛烈に批判している。しかし、ルソーが提唱する直接民主制は、人口の少ない小国しか採用できないから、日本が間接代表制をとることはやむを得ない。

では、この代表制の観念には、どのような契機があるのだろうか。丸山教授は、次の二つの基本的な契機があると言う。

第一の契機は、Einheit（ドイツ語で、一なる状態、統一の意）としてそこにないものが、すなわちVielheit（ドイツ語で、多数の意）としてしかそこに存在しないものが、代表によってEinheitとしてあらわれるということである。これは、政治的全体性もしくは一体性としてあらわれるものである。簡単に要約すると、本来は多様であるものを一つにする必要性が間接代表制を生み出す契機だということである。

第二の契機は、直接に伝達できないもの、もしくは使用できない要求・価値が代表によって伝達または使用されることである。これは政治的間接性の表現ということになる。この契機は、民法の代理・委任の概念に極めて近いものと言えよう。簡単に要約すると、国民が直接行うことができないものを代表者が代わって行う必要性が契機になっているということである。(26)

ここですぐ気づくのは、第一の契機は、政党の役割とよく似ていることである。歴史的には、政党は代表制の発達と一体となって発達してきたのだから、この契機が類似していることは当然であり、この点については、政党について述べたことと重なる。

第二の契機は、民法における代理の法律上の構造を頭に置くと分かりやすい。すなわち、民法の代理は、代理人Bが本人Aのためであることを示して第三者Cに対して法律行為を行うことで、その法律効果は、直接AとCとの間に生じるという構造を持っている。間接代表制の代表は、代理人Bを議員に、本人Aを国民に、第三者Cを国家に置き換えたものと考えればよいということになる。

民法の場合にもしばしば起こることだが、代理人が本人の意思に関係なく、勝手に第三者と取引をすることがある。民法ではそれを無権代理と言って、原則として無効になる。しかし、間接代表制の場合には、そのようなことがあっても滅多に無効になることはない。これが民法の代理と間接代表制における代表とが相違する部分である。

すなわち、大きな相違点は、民法ならば無権代理は無効になるが、代表制の場合には、めったに無効にならないということである。代理の法律効果が本人に及ぶように、間接代表制のもとでつくられた法律は国民に及ぶ。つまり、仮に公約違反の法律であっても、その法律は国民に及ぶのである。そんなことは委任していないと騒いでも、あとの祭りというものになる。

この問題は、複雑な展開をする。それは、間接代表制は、委任事項が明確でないということである。しかも、その委任事項は、さまざまな事柄が交錯している。政党が発表する公約は、そのまま有権者の委任事項と一致するわけではない。この公約には賛成だけれども、あの公約には反対だということは多々ある。有権者は、各党の公約を見比べて、その他に、候補者の実績や人柄を加味して、一人の候補者あるいは一つの政党に絞って投票する。この段階で、その候補者あるいは政党が掲げていた公約のうちの有権者が反対あるいは気の進まないものは、切り捨てられてしまうことになる。

6　議会制民主主義の形骸化

したがって、民主制をとっているほとんどの国が採用している間接代表制、すなわち議会制民主主義は、うまく機能させることが難しいのである。

議会制民主主義をうまく機能させるためには、政党が機能することが必要になってくる。そこでもう一度政党に着目して考察を進めなければならない。

前に述べた通り、政党というのは、パーティという語のとおり、部分である。何の部分かというと、それは政治的システムの中の部分なのである。そして政党は、政策決定過程に参加し、あるいは参加をこころざす。政権与党になれば政策決定はできるが、野党であっても次に政権与党となろうと頑張るし、政権与党にならなくても、政策決定過程に影響を及ぼすことができる。

これも前に述べたことであるが、政党の本質的な役割は、政治的システムと社会の媒介装置である。政治的システムという言葉がイメージしにくかったら、とりあえず法律をつくる立法機関と考えればよい。そして政党は、社会にある「声なき声」を声にして、それを立法機関に発声する。それと同時に、社会にある声を集約する。[27]
例えば、新型コロナウイルス禍に対応するために、困窮世帯に三〇万円を支給すべきだとか、いや一〇万円一律支給にすべきだとか、さまざまな声は社会の中にあるが、それを一本に集約して、立法機関に発声する。つまり、法案として提出する。
政党は、集約装置と発声装置を持っているが、この二つの装置がうまく働かなくなると、国民の間に政治的無関心がはびこり、議会制民主主義は形骸化してくる。

7　政党の集約装置と発声装置

政党の集約装置と発声装置については、小選挙区制と比例代表制とを例にとると理解が深まると思う。

日本では、一九九四年の公職選挙法改正で衆議院選挙において小選挙区比例代表並立制が導入された。小選挙区比例代表並立制であるから、小選挙区制と比例代表制との混合形態であり、したがって、小選挙区制と比例代表制との特徴が極端に選挙の結果にあらわれるわけではない。しかし、小選挙区制と比例代表制とは、制度の趣旨が異なるものであるから、ここでは、切り離してその特徴をみることにする。

小選挙区制の導入にあたっては、その長所や短所がさかんに論じられた。その議論をここで述べる必要はないと思うが、その主なものをあげれば、長所としては二大政党制がつくりやすくなるということ、短所としては死票が多くなるということだった。

しかし、二大政党制をつくるとか、死票が多くなるということよりも、もっと本質的な問題がある。それは、小選挙区制の是非は、前に述べた政党の機能と代表制の契機に関連づけて論じる必要があるからだ。

話を分かりやすくするために、全部を小選挙区制にするときと全部を比例代表制にするときとを比較しながら検討してみよう。

まず、政党には国民の意思、見解、利害を集めてまとめる「集約装置」と、その国民の意思などをまとめて一つの声にする「発声装置」があることに着目しよう。

小選挙区制は、一選挙区から一名しか当選しないので、二位以下の候補者の意思、見解、利害は議会に反映されない。したがって、集約装置はあまり稼働しない。つまり、議会に多様な意思、見解、利害が出にくくなるわけである。しかし、通常第一党は圧倒的多数を得るので、発声装置はさかんに働く。そして、代表制の契機で述べたように、本来多数としてしか存在してなかった意思、見解、利害が、統一したものとしてまとめられ、大きな声で発生される。新型コロナウイルスの感染拡大に対応するために、与党が一〇万円一律支給という政策をまとめたプロセスをみれば、すぐに思い当ることだと思う。

これに対して、比例代表制ならば、多様な意思、見解、利害が議会に登場することになる。つまり、集約装置はよく稼働する。しかし、発声装置はうまく稼働できるのだろうか。一〇万円一律支給案、困窮世帯三〇万円案、その他多数の案が議会に提出されたときに、うまく一本にまとめることができるだろうか。

このように、小選挙区制の長所は比例代表制の短所になり、比例代表制の長所は小選挙区制の短所になる。そこで考えられたのが、小選挙区比例代表並立制を衆議院議員総選挙に採用する現在の方法だろうが、これは小選挙区と比例代表の割合によって集約装置と発声装置の働きの強弱が決まってくる。逆に、有権者の意思、見解、利害の割合とどの程度マッチさせるかによって、小選挙区と比例代表の割合が決まると言ってもよいだろう。これは制度設計に委ねる問題であるが、政党の集約装置と発声装置のバランスの問題であることは、どのように制度設計してもついて回る。

いずれにしても、政党の集約装置も発声装置も、間接代表制のもとではなくてはならぬ仕組みである。その一方がもっぱら働いて、一方が働かないということは、健全な議会制民主主義にとって好ましいことではない。しかし、小選挙区比例代表並立制は、とかくどちらか一方に片寄ってしまうことは避けられない。制度設計でこの問題を完全にクリアすることは困難であるから、集約装置に片寄るときには発声装置を強化し、発声装置にウエイトがかかり過ぎるときには集約装置を強化する必要がある。

集約装置が働きすぎて議会に多様な意思、見解、利害が出てきたときには、議論を尽くして、その多様な意見、利害を煮つめ、一本化して一つの政策、法律に結実させることが必要である。また、集約装置が稼働しないで、多様な意思、見解、利害があらわれないときには、言葉を尽くして少数意見を汲み取り、多数意見の是非を検証する必要がある。いずれにせよ、短所を補うことによって、議会制民主主義の陥穽に落ちてしまわないように努力する必要がある。

ここまで考察をすすめてくると、独裁制と民主制との相違がはっきり分かると思う。すなわち、独裁制は集約装置が弱く発声装置が強い。これに対して、民主制は集約装置が強く発声装置が弱い。

民主制を選択するのならば、政党の集約装置と発声装置が十分に機能するような配慮をする必要があるが、どちらかというと発声装置が弱くなる傾向があるので、党内の風通しをよくして闊達に議論を進め、政策を一つにまとめる調整能力が必要になる。

これまで、やや抽象的な表現をしたが、現在の自由民主党の政権とその前の民主党の政権とを思い浮かべながら、集約装置と発声装置がどう働いていたかを考えてみれば、思い当たることが多いだろう。

8　緊急事態宣言と発声装置

新型コロナウイルス禍が終息した後のことを考えれば、独裁制よりも民主制の方が公平性や実質的平等がはかれるだろう。

今回の一〇万円一律支給という政策は、一見平等なように見えるが、それは形式的平等であって実質的平等ではない。一〇万円がそれほど必要ではない人は多いと思うが、一〇万円の必要性が切実だ、いや足りないという人もたくさんいるだろう。本来ならば、必要性が高い人の方に手厚く手当てをして救済するのが実質的平等であり、その方が公正であるが、そういう声は政治システムに届かなかったようである。

ということは、一〇万円一律支給という政策が形成されるプロセスにおいては、集約装置が働かず、発声装置ばかりが働いていたということになる。これは、独裁制に親和性のあるプロセスであったということである。

緊急事態が発生すると、政策決定が急がれるので、どうしても発声装置の働きが強くなり、集約装置を稼働させることがおろそかになる。したがって、独裁制の方向に行きがちになる。しかし、そういうときこそ衆知を集め、集約装置をフル回転させる必要があるのではないだろうか。そうでなければ、緊急事態が終息した後でも、惰性が続いて、独裁制に走る可能性が高くなる。

そうなると、理性的に独裁制か民主制かを選択することができなくなり、なし崩し的に民主制が崩れて行く危険性がある。

9　民主制を選択する利点と条件

さて問題は、独裁制か民主制か、そのどちらを選択するかであった。選択するのは為政者であるが、為政者は国民の代表であるから、この問題は、ひとり一人の問題でもある。

したがって、ここから先は、それぞれの人に委ねることになるが、私が自分の意見を言わないのは無責任だと思うので、ここに述べさせていただくことにする。

独裁制がよいか民主制がよいかという選択をするのならば、私は、民主制がよいと思っている。それは多分に私の思想や好みにかかっているが、それだけではない。独裁制は長い目で見ると人々に幸福をもたらさないからである。

なぜならば、独裁制は情報が偏りやすく、そのために集約装置が麻痺してしまうからである。そしてそこに独裁者の利害や思想や傾向がからんで、発声機能を狂わせ、とんでもない方向にも突き進む可能性が高くなる。そうなったら、それをセーブすることは極めて難しい。独裁制は、システムが独裁者の独断をセーブすることができる仕組みになっていない。

これに対して、民主制ならば、システムの中にセーブする方法が制度自体の中に織り込まれているので、民主制の方が独裁制よりも安全なシステムであると思う。

私は、手放しで民主制がよいと言っているのではない。アプリオリに、民主制が尊いのだと思っているわけでもない。民主主義を錦の御旗のように掲げて、民主主義という言葉を持ち出せば、何でも正当化できると思っている人をときどき見かけるが、私は、そういう範疇にはない。

なぜならば、民主制にも欠陥があるからである。

アテネの衆愚政治がソクラテスを死刑にした例をあげれば分かるように、民主主義はともすれば衆愚政治に陥りやすい。

ここでは、政党に焦点を当てて考察したが、集約装置と発声装置が働くその間において、何をするか、その中身が大切である。

民主制の方がよいと言えるようにするためには、いくつかの条件がある。

一つは、政治的アパシーが蔓延すると、民主制は動かなくなるので、政治的関心が深まるような工夫を絶えず続ける必要がある。

もう一つは、政党の集約装置と発声装置が働かなければ民主制は機能しないので、政党に働きかけて集約機能を働かせることも必要だと思う。

さらにもう一つは、活発な議論を重ねると同時に調整能力を高めて発声装置がうまく働くようにすることである。

そしてもう一つ、民主制が衆愚政治に陥らないように、たえず権力を監視することである。

このような条件がクリアできることを条件として、私ならば民主制を選択する。

第一〇章　戦争か平和か

1　戦争か平和かという選択肢

新型コロナウイルス禍が終息したときに、人類はいったい戦争と平和のどちらを選択するだろうか。

ここで、戦争だ！　平和だ！　と叫びあってもあまり意味がないことだろう。そういう論争は、論者の希望と予測がからみあって、実りのある結果が生まれないと思う。

こういうときには、まずは歴史を繙いて、人類がどのような経験をしたかを知っておくことが必要だろう。

関心事は、感染症が終息した後にどのようになるかということだが、その前に戦争の最中に疫病が流行するとどのようになるかを見てみよう。なぜそれを見る必要があるかと言うと、疫病の流行が戦争を終焉させるのか、それとも戦争を拡大させるのか、ということは、疫病が終息した後に、人々や国々が戦争を選択するか平和を選択するかに影響を及ぼすと考えるからである。

歴史にあらわれる古いところの有名な例は、ペロポネソス戦争の最中の紀元前四二九年に、籠城戦術を用いてスパルタ軍と対峙していたアテネで流行した感染症である。この感染症の流行でアテネは人口の三分の一を失い、最盛期を築いた民主政治家ペリクレスが死亡して、アテネは衆愚政治に陥り、スパルタに敗北した。

戦争と感染症の歴史を拾い上げればは枚挙にいとまがないので、一気に二三〇〇年以上を跳び越えて、第一次世界大戦が終わりに近づいた一九一八年に行ってみよう。

第一次世界大戦（一九一四年〜一九一八年）では、約一六〇〇万人の戦死者が出たが、スペイン風邪と呼ばれるウイルスの感染症で約五〇〇〇万人が命を失ったとされている。このスペイン風邪の大流行によって、西部戦線（ベルギー南部からフランス北東部にかけて構築された戦線）の、ドイツ軍と連合軍の両軍の兵士に多数の死者が出て、戦争の終結を早めたと言われている。

では、感染症は戦争を終結に向かわせると言い切れるものだろうか。

それは、必ずしもそうではないようである。

前に述べたワット・タイラーの乱は、黒死病と呼ばれたペストの大流行後の一三八一年にイングランド王国で起ったものであるが、このときは英仏間の百年戦争の最中であった。ペストはイングランド王国をもフランス王国をも襲ったが、一三三八年に始まった百年戦争は終結に向かわず、一四五三年まで続いた。

2　感染症と戦争との関係

歴史を繙いてみても、感染症の大流行が終息した後に、戦争が激化するか、平和が訪れるのか、ただちに分かるものではなさそうである。

黒死病の大流行のあとの歴史を、世界史年表をめくって探してみると、英仏の百年戦争を除けば、ヨーロッパの歴史に出てくる国家間の戦争は、一三五三年にはじまるトルコ軍のヨーロッパ侵入、一五二一年～一五四四年のドイツ・フランス両君主間のイタリア戦争、一五二六年～一五三二年のトルコ軍のオーストリア侵略と続くが、このころはすでに大航海時代に入っており、ヨーロッパ各国の植民地政策によって、世界地図が大きく変動してゆく時代になっている。

では、感染症の大流行のあとで、平和な世界が訪れるのだろうか。

これは、第一次世界大戦後の歴史を見れば容易に分かることである。

ここでまた、世界史年表をめくってみよう。

一九一八年に第一次世界大戦が終わり、翌年の一九一九年にはパリ講和会議が開かれて、一九二〇年には国際連盟が正式に成立した。この間にドイツでは共和国憲法（ワイマール憲法）が制定され、ワイマール体制に入った。

しかしドイツは、大戦の賠償金を支払うために、為替市場にマルク紙幣を売るしか方法がなく、大蔵省短期証券を割引発行してマルク紙幣をさかんに増刷した。これがハイパー・インフレーションを招き、ドルの対マルク相場は一九二一年一月には一ドル七六・七マルクであったものが、一九二三年一一月には四兆二五〇〇億マルク（これは誤植ではない）になってしまった。[28]このハイパー・インフレーションがワイマール体制を崩壊させ、やがてナチス・ドイツの勃興へと道をひらいたのである。

一方、資本主義にも大きな亀裂が入った。

一九二九年にニューヨーク証券取引所を舞台にした株価の大暴落からはじまる大恐慌は、ルーズベルト大統領のニューディール政策によって乗り切ったと言われているが、この大恐慌は一九三九年まで、すなわち第二次世界大戦まで続いていたと主張する説がある。この説によると戦争によってはじめて大恐慌を克服できたということになる。

新型コロナウイルス禍の大流行による経済的な打撃は、この一九二九年の大恐慌による打撃に匹敵する、いやそれ以上だという言辞をときどき耳にするが、新型コロナウイルス禍が終息した後で、人類の歴史は、スペイン風邪の流行によって終焉した第一次大戦後と同じような道をたどるのだろうか。

それを思うと、新型コロナウイルス禍が終息して、やれやれと安堵の胸をなでおろしてばかりではいられないという気持になる。新型コロナウイルス禍が立ち去ったあとで、平和な世界が出現すると思ったら、それは甘い。決して油断はできないということになるのではないだろうか。

それは、ここでザッと見たとおり、歴史が教えるところである。

3　新型コロナウイルス禍後の世界

新型コロナウイルス禍が終息したあとで、歴史が平和に向かって進んでゆくことを期待しても、そのようになるとは限らない。安閑としていても、神や仏が平和を持ってきてくれるはずはない。

新型コロナウイルスが地球上から立ち去ったあとは、まるで終戦後の焼け野原のように、社会も経済も文化も、その他ありとあらゆるものが壊滅的な打撃を受けていると覚悟していてもよいのではないだろうか。それは新型コロナウイルス禍の長さにもよるが、最悪の事態をあらかじめ覚悟して備えを固めることは、たとえ新型コロナウイルス禍が早期に終息するとしても、決して無駄にはならないと思う。

歴史がどちらの方向に流れるか、それはそのときの経済状況などのさまざまな要因によって複雑な動きをするだろう。したがって、今ここで、そのさまざまな動きのひとつ一つをとりあげて、それに対していちいち予測することはほとんど不可能なことであり、仮に人工知能が発達していても、有意義なデータを得ることはできないだろう。したがって、今できることは、新型コロナウイルス禍が終息した後で、戦争を選択するか、平和を選択するかのバロメーターを組み立てておくことではないだろうか。そのことは、新型コロナウイルス禍の渦中にある今からはじめても早すぎることはない。

そのバロメーターは多岐にわたる。例えば、新型コロナウイルス禍が終息した後に軍備を拡張するのかそれとも縮小するのか、あるいはベクトルを核兵器廃絶に向けるのか逆に向けるのか、そういったことを取り上げて、新型コロナウイルス禍が終息した後の世界の制度設計をすることは、非常に大切な取り組みではないかと思う。そのような作業をすれば、戦争か平和かという選択に、道筋がついてくるのではないだろうか。

新型コロナウイルス禍によって、多くの人は死の恐怖におびえていただろうから、心理的には平和を希求するのではないかと思われる。ちょうど、戦争のあとに平和を望むと同じように。

しかし、人間というものは、決してそういう面だけを持っている動物ではない。個人差もあるだろうが、失ったものを挽回しようとして攻撃的になる人間も少なくない。これを国レベルで見ると、他国を攻撃したり、侵略したりして、自国の損失をカヴァーしようとする指導者もいるし、そのような指導者を選ぶ国民もいる。

ゆめゆめ油断はできない。

ベクトルを戦争に向けるか平和に向けるかの大きなポイントは、国々が軍拡に進むか軍縮に進むかにかかっていると言っても過言ではないだろう。

4　軍備を棄てた国

私はかねがね不思議に思っていることがある。それは、なぜやりもしない戦争のために、世界中の国々が毎年莫大な予算を計上するのか、というまことに素朴な疑問である。新型コロナウイルス禍によって、こんな馬鹿々々しいことはやめようと、世界中の人々が気づいてくれれば、世界は一気に平和に向かうだろう。

しかし、これはいかにも素朴すぎる疑問である、と私自身も認めざるを得ない。

そこで世界地図を開いて、軍備を棄てた国があるかどうかを調べてみよう。

永世中立を宣言しているスイスにも軍隊があり、軍備は備えている。ということからすれば、世界中の国々には軍備があるということになるのだろうか。

しかし、ここに一つの例外がある。

中米のコスタリカは、一九四八年の内戦の翌年に憲法が施行されて、常備軍が廃止された。そして、一九八三年には永世非武装中立を宣言し、今日に至っている。この間の歴史にはさまざまな動きがあるが、コスタリカはラテンアメリカからの多くの政治家や民主主義活動家の避難場所となり、チェ・ゲバラやフィデル・カストロも一時コスタリカに滞在していたそうである。
コスタリカと日本との違いを、『中南米の奇跡コスタリカ』の著者寿里順平は、次のように説明している。

戦争をして、そのくだらなさがわかったつもりだからもうやらないという嫌戦論が日本。戦争はしなかった、これからもまた、やらないだろうからという戦力不要論がコスタリカである。(29)

私の素朴な疑問は、今のところ妄想のようなものかもしれないが、一つでもコスタリカのような国が存在することはたいへん心強い。とくに、「やらないだろうからという戦力不要論」のくだりを読んだときには、わが意を得たりと膝を打ってしまった。

5　賢い選択ができるか

新型コロナウイルス禍によって、人類は大きな選択を迫られていると言ってよいだろう。それは、人々や企業や民族や宗教団体や国々やらが、新型コロナウイルス禍によって引き起こされた社会、経済の危機状態を目の当たりにして、賢い選択をすることができるかどうかという問題である。

戦争か平和かということを問題にするならば、それは、新型コロナウイルス禍後の困難を戦争によって乗り越えようとするのか、平和によって乗り越えようとするかの選択である。

それはまた、搾取や格差や侵略によって人々や国々が先走って火事場泥棒のようなことをするか、あるいは互いに助け合って互恵主義の世界を築こうとするかの選択の問題である。

私がそのどちらを希求しているか、それは言う必要がないだろう。

おわりに

この度の全国民を対象に一〇万円の一律支給という政策は、生活困窮世帯への三〇万円の現金支給案を取りやめて、切り替えられて出てきた案である。なぜ切り替えられたのか。それは、生活困窮世帯への三〇万円の現金支給案は評判が悪く、一律一〇万円案の方が評判がよいからだそうである。たしかに新聞各紙のアンケートによると、一律一〇万円案の方が生活困窮者三〇万円案よりも断然評価が高い。

しかし、それだからと言って、それでよいのだろうか。

一律一〇万円案の対象者の方が生活困窮世帯三〇万円案の対象者よりも数が圧倒的に多いのであるから、アンケートを取れば前者の賛成者の方が多くなることは決まっている。だいいち、生活困窮者の声が政治家にしっかり届いているかといえば、それはそうではないだろう。

私は、ここに多数の非困窮者が少数の困窮者を追いつめてしまう構図が見えて、何か引っかかるところがある。

一〇万円の一律支給、これはこれでひとまずよしとしよう。誰しもが窮屈な生活を強いられているのだから。また、これによって危地を脱する人もいるからだ。したがって、何もしないよりはましな手であるとは思う。

しかし、三〇万円なら助かったのに、一〇万円だったから助からなかったという人はいないのだろうか。もしそういう人が一人でもいるのだったら、この一〇万円の一律支給は、間違いだったということになる。

これに対して、生活困窮世帯三〇万円案は手続きが煩雑で支給までに時間がかかるから致し方ないという声も多い。

しかし、それならばそれで手続きを簡略化して、超特急で生活困窮世帯に三〇万円を届ければよいだけのことである。

私がなぜ決まったことを問題にするのかというと、それは、多数者が少数者を知らず知らずに追いつめてしまうことに鈍感になること、それに危惧を覚えるからだ。

不思議なことがあるものだ。

早朝に目が覚めてこの部分を先に書き、そのあとで新聞を開いたところ、次のような投稿が目に飛び込んできて、私は、わが目を疑った。その投稿者は単身世帯の女性の添乗員（熊本県在住、四六歳）で、給付金が三〇万円から一律の一〇万円に変わったことに「心底ショック」を受けたと言う。

私は派遣に登録し、旅行添乗員として生計を立てています。新型コロナウイルスの影響で、2月末から仕事が次々キャンセルに。3月以降は全く仕事がなく、4月については収支がゼロどころか、社会保険料などの控除のためマイナス……つまり、支払いが生じることになります。

緊急事態宣言が来月終わっても、仕事が入ってくるのは、世の中が通常に戻るであろう2～3カ月後。休業手当が5、6月に出ますが、生活を大幅に切り詰めざるを得ません。

だから、30万円給付の閣議決定は、「生活の支えの一部になる」と心からありがたく思いました。朝令暮改の政策転換。安倍晋三首相は「国民との一体感が大切だ」と一律給付への思いを語りましたが、生活に困窮しつつある私のような者への補償はどうなったのでしょう。10万円では、「通常」が戻るまで到底乗り切れません。1～2カ月先の未来にも不安を感じる人たちへの支援・補償をいま一度考えてください。

（二〇二〇年四月二三日付け朝日新聞「声」欄「30万円に託していた望み　崩れた」）

もはやこれ以上私が言うことはないだろう。しかし、ただひと言だけつけ加えさせていただきたい。

この投稿者の願いを叶えることによってはじめて一〇万円の一律支給という政策が生きてくる、そして、この投稿者の願いを叶えることがポスト・コロナの「共存主義へという未来」に繋がる、と。

なぜならば、この投稿者の願いを叶えることは、資本主義の枠組みを超えることに道を拓くことになるからだ。少し考えれば分かることだが、新型コロナウイルス禍が起こる前から資本主義は終わりつつあり、資本主義の枠組みの中で解決できない問題が続出してきた。例えば、地球温暖化問題は、利益優先の経済活動という資本主義の枠組みだけでは解決ができない。資本主義の枠組みを超えることによってはじめて、解決の見通しが立つのである。新型コロナウイルス禍も、資本主義の枠組みを超える問題であり、したがって、ベーシック・インカムのような資本主義の枠組みを超える発想がなければ乗り越えて行くことができないだろう。

ポスト・コロナに起こってくるさまざまな困難を乗り越えてゆくためには、「資本主義」から「共存主義へという未来」に活路を拓かなければならない——この本は、そのささやかな試論である。

注

1 鈴木敏彦『ナビゲーター世界史B　①先史〜中世ヨーロッパ史の徹底理解』（山川出版社）一九九頁
2 同書、二〇二頁
3 同書、二〇三頁
4 村上陽一郎『ペスト大流行―ヨーロッパ中世の崩壊―』（岩波新書）一六四頁
5 以下、亀井高孝、三上次男、林健太郎、堀米庸三『世界史年表・地図』（吉川弘文館）による
6 鈴木敏彦『ナビゲーター世界史B　③近世の始まり〜19世紀の徹底理解』（山川出版社）二三一頁
7 池谷裕二、鈴木仁志「和解する脳」（講談社）二三一頁
8 例えば、廣田尚久『先取り経済の総決算　一〇〇〇兆円の国家債務をどうするのか』（信山社）、榊原英資、水野和夫『資本主義の終焉、その先の世界』（詩想社新書）
9 高橋泰蔵、増田四郎編集『体系経済学辞典（第6版）』（東洋経済新報社）八六頁
10 岩井克人『貨幣論』（筑摩書房）一九六頁
11 川島武宜『法律学全集　17民法総則』（有斐閣）二頁〜三頁
12 前出『体系経済学辞典（第6版）』八〇頁
13 シュムペーター著、中山伊知郎・東畑精一訳『資本主義・社会主義・民主主義』（東洋経済新報社）六六九頁
14 P・サムエルソン、W・ノードハウス著、都留重人訳『サムエルソン経済学上〔原書第13版〕』（岩波書店）三七頁
15 井上智洋『AI時代の新・ベーシックインカム論』（光文社）八四頁
16 前出『貨幣論』六四頁
17 入会権については、川島武宜編『注釈民法（7）物権（2）』（有斐閣）五〇七頁〜五三〇頁

18 共存主義については、前出『先取り経済の総決算 一〇〇〇兆円の国家債務をどうするのか』三〇五頁〜三五二頁
19 ロバート・アクセルロッド著、松田裕之訳『つきあい方の科学』（HBJ出版局）七頁〜九頁
20 鈴木光男『新ゲーム理論』（勁草書房）一八頁〜二二頁
21 反復囚人のジレンマゲームについては、前出『つきあい方の科学』二六頁〜五五頁
22 同書、一八九頁
23 同書、一九七頁
24 丸山眞男『丸山眞男講義録〔第三冊〕政治学1960』（東京大学出版会）七五頁〜七六頁
25 同書、一六四頁
26 同書、一八一頁〜一八二頁
27 同書、一六五頁
28 リタ・タルマン著、長谷川公昭訳『ヴァイマル共和国』（白水社）四九頁
29 寿里順平『中米の奇跡 コスタリカ』（東洋書店）二九五頁

参考文献

ペストの流行と中世史については
「ナビゲーター世界史B　①先史〜中世ヨーロッパ史の徹底理解」（鈴木敏彦・山川出版社）、「ペスト大流行―ヨーロッパ中世の崩壊―」（村上陽一郎・岩波新書）を、
近世史と戦争の歴史については
「世界史年表・地図」（亀井高孝、三上次男、林健太郎、堀米庸三・吉川弘文館）、「ナビゲーター世界史B　③近世の始まり〜19世紀の徹底理解」（鈴木敏彦・山川出版社）を、
脳科学については
「和解する脳」（池谷裕二、鈴木仁志・講談社）を、
資本主義と貨幣については
「貨幣論」（岩井克人・筑摩書房）を、
資本主義の基礎については
「法律学全集　17民法総則」（川島武宜・有斐閣）を、
資本主義と社会主義の定義については
「体系経済学辞典（第6版）」（高橋泰蔵、増田四郎編集・東洋経済新報社）を、
社会主義については
「資本主義・社会主義・民主主義」（シュムペーター著、中山伊知郎・東畑精一訳・東洋経済新報社）を、
混合経済については
「サムエルソン経済学上〔原書第13版〕」（P・サムエルソン、W・ノードハウス著、都留重人訳・岩波書店）を、
ベーシック・インカムについては
「ベーシック・インカム　基本所得のある社会へ」（ゲッツ・W・ヴェルナー著、渡辺一男訳・現代書館）、「ベーシック・インカム入門　無条件給付の基本所得を考える」（山森亮・光文社）、「ベーシック・インカムの哲学　すべての人にリアルな自由を」（P・ヴァン・パリース著、後藤玲子、齊藤拓訳・勁草書房）、「ベーシックインカム　分配する最小国家の可能性」（立岩真也、齊藤拓・青土社）、「ベーシック・インカム　国家は貧困問題を解決できるか」（原田泰・中央公論新社）、「隷属なき道　AIとの競争に勝つベーシックインカムと一日三時

間労働」（ルトガー・ブレグマン著、野中香方子訳・文藝春秋）、「ベーシックインカムへの道　正義・自由・安全の社会インフラを実現させるには」（ガイ・スタンディング著、池村千秋訳・プレジデント社）、「AI時代の新・ベーシックインカム論」（井上智洋・光文社）、「よりよき世界へ　資本主義に代わりうる経済システムをめぐる旅」（ジャコモ・コルネオ著、水野忠尚、隠岐－須賀麻衣、隠岐理貴、須賀晃一訳・岩波書店）を、

入会権については

「注釈民法（7）物権（2）」（川島武宜編・有斐閣）を、

ゲーム理論については

「つきあい方の科学」（ロバート・アクセルロッド著、松田裕之訳・HBJ出版局）、「新ゲーム理論」（鈴木光男・勁草書房）、「囚人のジレンマ　フォン・ノイマンとゲームの理論」（ウィリアム・パウンドストーン著、松浦俊輔他訳・青土社）を、

政治的無関心と政党論については

「丸山眞男講義録〔第三冊〕政治学1960」（丸山眞男・東京大学出版会）を、

ドイツのハイパー・インフレーションについては

「ヴァイマル共和国」（リタ・タルマン著、長谷川公昭訳・白水社）を、

コスタリカについては

「中米の奇跡　コスタリカ」（寿里順平・東洋書店）を、

参考にさせていただきました。

また、資本主義の崩壊現象及び共存主義につては

拙著「先取り経済の総決算　一〇〇〇兆円の国家債務をどうするのか」（信山社）を、

ベーシック・インカムの本質については

拙著「ベーシック　命をつなぐ物語」（河出書房新社）を、

入会権については

拙著「紛争解決学」（信山社）を念頭に置いて書きました。

ここに付言させていただきます。

廣田尚久（ひろた・たかひさ）
1962年東京大学法学部卒業、川崎製鉄（現ＪＦＥ）入社。
1966年川崎製鉄を退社し、司法研修所に入所。
1968年弁護士登録（第一弁護士会）。
2005年法政大学法科大学院教授。

〈主要著作〉
『紛争解決学』（信山社・1993年〔新版増補2006年〕）、小説『壊市』（汽声館・1995年）、小説『地雷』（毎日新聞社・1996年）、小説『デス』（毎日新聞社・1999年）、小説『蘇生』（毎日新聞社・1999年）、ノンフィクション『おへそ曲がりの贈り物』（講談社・2007年）、『先取り経済の総決算――1000兆円の国家債務をどうするのか』（信山社・2012年）、『和解という知恵』（講談社現代新書・2014年）、小説『2038　滅びにいたる門』（河出書房新社・2019年）、小説『ベーシック　命をつなぐ物語』（河出書房新社・2019年）

ポスト・コロナ　資本主義から共存主義へという未来

2020年8月20日　初版印刷
2020年8月30日　初版発行

著　者　廣田尚久
装　幀　岡本洋平（岡本デザイン室）
発行者　小野寺優
発　行　河出書房新社
〒151-0051　東京都渋谷区千駄ヶ谷2-32-2
電話03-3404-8611（編集）03-3404-1201（営業）
http://www.kawade.co.jp/
組　版　KAWADE DTP WORKS
印刷所　モリモト印刷株式会社
製本所　小泉製本株式会社
落丁本・乱丁本はお取り替えいたします。

ISBN978-4-309-92210-2
Printed in Japan

廣田尚久の小説

2038　滅びにいたる門

エッフェル塔をミサイル攻撃せよ。
近未来、世界が絶大な信頼をおくＡＩが出した指示は
意外なものだった。
紛争解決学の創始者が人類に警告を鳴らす、
ディストピア文学！

ベーシック
命をつなぐ物語

〈ベーシック・インカム〉の本質を問う。
「自分の人生を生きるということは、
ほんとうにいいことだよね」
貧困と飢餓の時代に生きる人々に贈る、
目指すべき明日への突破口。